JN112671

ただ生きるアナキズム

森 元斎
Mori Motonao

青弓社

ただ生きるアナキズム　目次

音楽篇

映画篇

文学篇

アナキズム思想篇

装丁――Malpu Design［清水良洋］

凡例

［1］引用文の漢字・片仮名交じりは、一部を除いて漢字・平仮名にしている。
［2］引用文中の〔 〕は引用者による補記、（略）は省略を表す。
［3］書名は『 』で、新聞・雑誌名、記事のタイトルは「 」で統一している。

0 序に代えて

私たちは本来、ただ生きているだけである。

ただ生きるというのは欲望に忠実になり、ときにそれを節制したりしながら、生きることだ。しかし欲望は、下された命令と結び付き、当の欲望とははずれた仕方で実現してしまい、それが本来のあり方とは別様に回収されてしまうのだ。欲望の本来の広がりはずらされてしまい、一つの商品に結実させられてしまうことが起きる。こんなことからは、手っ取り早く逃げること。それを提示していたのはジル・ドゥルーズとフェリックス・ガタリである。

欲望に忠実に生きることがアナーキーだとすれば、それを制限するのが国家や資本主義である。あれを買え、これをしろという命令を下し、絶えず次から次に新商品を生み出し、新たな立法がおこなわれ、欲望は完全に満たされることなく、多様な人間（やその関係）が国家や資本主義に都合がいいモノに作り替えられていく（これがカール・マルクスがいうフェティッシュ化でもある）。しかし何度もいうように、人間はただ生きているだけである。だから命令に完全には従いきれない。この従いきれなさが、国家や資本主義への反抗を生む。この反抗がただ生きることの幅を国家や資本主義の内部で作り、その幅を押し広げていくことになる。

国家や資本主義がいくら大規模な警官隊を導入したり、過激派キャンペーンをまき散らしたりしたところで、自らの選挙権獲得のためにサフラジェットは立ち上がり、武装闘争をしてまでも女性参政権を獲得してきた。あるいはいくら非暴力をマハトマ・ガンディーが訴えたところで、ガンディーに賛同しながらも実のところ賛同しないアナーキーな連中は暴力に訴えることで国家の独立を果たしていった。あるいはマーティン・ルーサー・キング牧師がいくら非暴力を訴えたところで、キング牧師に賛同しながらも賛同しない連中が警察とストリートファイトしたことで、黒人たちの権利を勝ち取っていった。また近年のブラック・ライブズ・マター（Black Lives Matter. 以下、BLMと略記）を考えてみてもいいだろう。ここで暴力は「いけない」ことなのだろうか。そもそも暴力を振るうのは、圧倒的に国家と資本主義であることを忘れてはならない。そして反抗する者たちの暴力は、本当に国家が行使する暴力と同等なのか。反抗する者たちは敷石を剝がして投げる程度かもしれないが、国家にはプロの殺人集団である軍隊や銃を持った警察がいるではないか。これらは圧倒的に非対称なのだ。また重要なので何度もいっておきたいことがある。非暴力で勝ったことなどあったのか。非暴力でないから失敗するのか。反抗によって幅を広げてきたからこそ勝利がある。これは先人たちの知恵だ。歴史に学ぶなどとはいいたくないが、歴史を少しでも勉強したことがあるならば、わかりきったことである。

日常のなかのアナキズムをみるときに、考えなければならないことがいくつかある。ただ生きているという位相において、資本主義や国家を払い退けて生活することがある。ちょっとした生活の知恵にはそうしたものが満ち満ちている。物品を買うのではなく、借りる、あるいはもらう。こういった次元に知恵がある。負債や贈与や相互扶助、あるいはデヴィッド・グレーバーであれば基盤的コミュニズムというある種の振る舞いは私たちのほとんどの行為を占めている。

子育ての渦中、子どもにかけたカネを、ゆくゆくは回収しようと思って投資して育てたりなどはしない。無償である。会社の会議でボールペンを隣の人に借りた際に、そのお返しをカネで払うことはない。私たちの振る舞いの多くは、いや日常のほとんどが基盤的コミュニズムによって成立しているのは間違いない。

セクシュアルハラスメントとおぼしき行為を上司から受けた場合、それを避けていく言動の知恵は私たちのなかにもたくさんある。もちろんやんわり拒否する場合、きっぱり拒否する場合、ともすれば物理的な自衛のためにセルフディフェンス術を習得する場合もあるだろう。これらの知恵は共有されなければならない。このときに、セルフディフェンスをする際の私たちの振る舞いは暴力だろうか。避ける、あるいは拒否する、そもそも可能であれば防御するなどという行為なく過ごしたい。

こんな状況が同時代にある。ただ生まれ育った場所で、仕事も家族もそこにあるなか、突然自分が所属している（と思いたくもないがそうならざるをえない）国家が暴力をその当人にはたらき、隣国の軍隊がその当人たちを蹂躙し、国家と称する謎の過激派がその当人たちに武力攻撃を仕掛けてきた場合、どうするか。セルフディフェンスをするしかない。これは東アジアのクズどもが運営しているらしい国家での、ありもしない戦争を想定した軟弱な自衛隊のことを述べているのではない(「もしも」本当にあったとしても速攻で負けるので、自衛隊はそもそも不要であり、無駄な抵抗である。死人を一人でも出さないのが国家の使命であるならば、この戦闘部隊はますます不要である)。これは、ありもしないことではなく、現実に戦争が生じたことによって立ち上がったあり方だ。アナキズムを掲げているロジャヴァ革命のことである。ロジャヴァの戦士は女性が多い。そして女性部隊がめっぽう強い。ロジャヴァ革命自体が女性による自治を掲げているからだ。また敵を殺さない。自衛だからだ。そしてこの戦略でロジャヴァ革命は数々の勝利をおさめている(イタリアの漫画家ゼロカルカーレによる『コバニ・コーリング』〔栗原俊英訳、花伝社、二〇二〇年〕をぜひ読んでほしい。ほかにもアブドゥラー・オジャランの著作や、最近だとHavin Guneser, *The Art of Freedom: A Brief History of the Kurdish Liberation Struggle*, PM press, 2021なんかもおすすめ。あとは拙著『死なないための暴力論』〔〈インターナショナル新書〉、集英社インターナショナル、二〇二四年〕も読んでほしい)。

人間は自由に基盤を置くからこそ、その能力が開花できる。それは何度いっても言い過ぎることはない。労働にしてもそうだし、教育にしてもそうだ。前述のロジャヴァ革命でも験(ため)されずみである。これは私が言わなくとも、労働や教育については、ロジャヴァに限らず世界中どこをみても実際にそういったデータしかない。もしもこんな悪者がいたらどうするんだ、もしも隣国が攻めてきたらどうするんだ、私たちのそもそもの自由を奪っていくような「もしも」論法は、過去にも未来にも不要なのだ。歴史に「もしも」がないのと同じように、未来に「もしも」はない。未来はいま思っているとおりには決して実現しないからだ。

話を戻そう。自由を奪うのが国家である。ロジャヴァ革命だとクルディスタン地域の人々はいずれも諸国家にその自由を奪われているのである。そしてまた資本主義は一見自由に見えるが、先にも述べたように、そもそもの欲望やその発露である自由をずらし、見かけ上の自由（自由主義や新自由主義の「自由」は全くもって偽の言葉である）を設定し欲望を商品に結実させていくだけだ。

国家が自由を奪うという議論について、デヴィッド・グレーバーとデヴィッド・ウェングロウの『万物の黎明――人類史を根本からくつがえす』（酒井隆史訳、光文社、二〇二三年）という本に面白い話がある。北アメリカにヒューロン・ウェンダット族という先住民がいた。その先住民たちのなかでもカンディアロンクという政治家がいた。彼らはみんなで話し合い、自由を基盤に平等な社会をどのように作るのか常に議論していた。民主主義によって自由がどのように実現するかといった、いまや誰しもが聞いたことがある話だ。これをみた植民者たち（北アメリカはイギリスやフランスに占領されていた）は、民主主義的な振る舞いをしている先住民を見て野蛮だと考えた。イギリスやフランスにはそもそも民主主義などない。王がトップに立つ専制体制国家では、民衆が話し合って社会や国家のことを決定していく術など存在していなかったのだ。植民者はこの野蛮な民主主義の様子を書き留め、本国に持ち帰り、そこから例えばジャック・テュルゴーなどの重農主義の思想家が先住民を小馬鹿にした。こいつらは野蛮であるがゆえに、民主主義などという訳のわからないことをしているのだ。フランスには偉大な王が存在している。野蛮人どもの社会は発展していけば、次第に王政のような素晴らしい体制を構築していくのだ、と。これが段階的発展論だ。しかしこの民主主義的なあり方は瞬く間に啓蒙思想家たちに広がっていった。この民主主義は、自由とセットで語られるようになり、毀誉褒貶ありながらも、途中でジャン＝ジャック・ルソーのような思想家が平等なんて考え方を一緒に検討しはじめて、その後どういう帰結になったかといえば、フランス革命である。フランス革命の有名な標語をご存じだろうか。自由・平等・博愛である。この標語をもとに民衆が自分たちの世界をどのように作るのか、それが課題だった。このことはつまり、カンディアロンク的な思想が基盤にあることで革命が成就していったことにほかならない（とはいえ、平等に関しては途中で付け加えられたし、ともすればこの平等概念に対しては検討の余地がある）。しかし国家は自由や平等を弾圧しつづける。これは専制体制から共和制に変わろうとも同じだ。王が大統領に代わり、熟議を無視した選挙なるもので国家が成立している時点で、国家は民衆を弾圧する機構でしかない。なぜなら、専制体制と基本構造そのものは何も変わっていないからだ。東アジアの端っこにクズのような国家があるが、選挙の結果が民意だといわんばかりの悪政を重ね、私たちは相も変わらずクズどもの命令に振り回されたり、あるいはクズどもの命令を意識的に、あるいは無意識的に避けていく。避けてどう生きるかといえば、つまり、何が基盤にあるのかといえば、基盤的コミュニズムであり、やはり自由であり、欲望であり、生きることなのだ。

私たちは本来、ただ生きているだけである。

音楽篇

1 東京の西から――フィッシュマンズについて

フィッシュマンズについて、誰も興味ないだろう個人的な思い出を話そう。アルバム『宇宙 日本 世田谷』（一九九七年）が出た四年後の個人史だ。東京の西の郊外に住む高校生のとき、九月一日に友人が自殺した。その十日後に9・11が起こった。当然のように、高校へ行かなくなった。親御さんが葬儀で何か音楽をかけてくれというので、その友人が大好きだった『宇宙 日本 世田谷』を選んだ。その友人は二度と目覚めず、静かに眠っていた。一曲目の「POKKA POKKA」にある「眠ってる君を思い出すんだ　眠ってる顔が一番好きだから」というリリックとメロディーがその葬儀場に浸透していくのが可視化されたような感覚に陥った。感受性豊かだった高校生の私は、ちょうどそのころから、世界の認識が反転していくような、ユークリッド幾何学の世界観しか知らなかった自分がリーマン幾何学を初めて認識したような、ぐにゃりと世界が曲がっていくような感覚をもつようになった。[1] そこへきて9・11だ。もう、終わった、と思った。自分がこれまで当たり前だと思っていたことがすべて間違っていたのだ、親が言うことは、教師が言うことはすべて誤りで、社会も学校を含めた制度的なものもすべて誤りだと、思春期特有の思いに支配されていった。そしてその友人を殺したのは自分であり、自分たちであり、社会だと強烈に思うようになった。

「Season」に関して、この当時、毎日映画を見ていた。学校に行かずに、ある種の現実逃避ではあった。高校生なりに背伸びをしてジャン゠リュック・ゴダールなんかを見ながらも、いちばんよく見ていたのは地味な小津安二郎映画だった。『東京物語』（監督：小津安二郎、一九五三年）は記憶をめぐる映画だとしばしばいわれているが、私にとっては、違う。原節子演じる紀子は、過去を拒否し、未来を見通すこともない。悲しみや喜びだけではない、淡々とした「ただの生」を送ることを示しているように思えた。そのなかで、懐中時計を渡されてもそれを受け取るのを拒否し、どの時間軸にも身を委ねない、ともすれば、ズレていこうとするその身ぶりに衝撃を受けた。すべてが誤りであるならば、自らズレていくしかないのではないか、そう思うようになった。そうしたなか、この亡くなった友人と「東京の街のスミからスミまで」、ふらついて出歩いていた記憶ばかりが思い出され、そのときのことは、もはや「夢の中」。もちろん、遠出をしても、私たちがほっつき歩くのはせいぜい吉祥寺や下北沢などいわゆる東京の西でしかない。ほとんどは多摩川の河川敷や武蔵野公園など、自宅に近いところばかりだった。ときに学校をサボって鎌倉くらいまで行ったりしていたが、目的などは何もなく、ずっと白昼夢のなかにいるような感覚だった。現実でありながらも、どこかふわっと揺らいでいる感覚。現在を生きるという熱い思いではなく、ただ淡々とズレながら、いまを生きているだけだというこの感覚は、大人になってしまったいまでも、実はあまり何も変わっていないような気もする。「もうすぐ秋だね」というリリックは、かなりいやだ。だって、九月のアタマに友人が亡くなり、ニューヨークでは大勢の人が亡くなってしまったのだから。

「IN THE FLIGHT」は、「ドアの外で思ったんだ　あと十年たったら　なんでもできそうな気がするって　でもやっぱりそんなのウソさ　やっぱり何も出来ないよ　僕はいつまでも何も出来ないだろう」と歌う。将来の夢を語りたがる高校生には重たい言葉だった。これから羽ばたこうとしている人間にとって、友人が死に、世界の変化を目の当たりにし、淡々としたいましかないということは、とてもつらかった。それでも、それが真実なのではないかという気がして、そしてその音の心地よさに漂うことが正しい気がして、いまに至るまで聴き続けている。

とりわけ、いまも歌い継がれている「WALKING IN THE RHYTHM」は、フィッシュマンズのもろもろの曲のなかでも、大変人気がある曲なのではないだろうか。HONZI のヴァイオリンの美しさもそうだが、ソロパートをいかようにでも変形させてライブで魅せることが容易な曲の構成も素晴らしい。ライブのために作った曲なのかなと推察する。自分もまねてこういった曲を作ってバンドで演奏していたし、かつての私のようにバンドをやっている子たちにも大きな影響を与えたのではないだろうか。

フィッシュマンズとともに高校時代を過ごし、ほかにもアルゼンチン音響派と称された音楽家たちや Improvised Music from Japan 関連の音楽家たちを知り始め、また別に目を向ければ B-BOY Park などでヒップホップが盛り上がりを見せ、Air Jam 世代といまではいわれているほどのメロコアブームや、テクノの祭典だったエレクトラグライドが始まり、いま思えばきわめて豊穣な仕方で音楽を知っていく環境があり、感受性豊かだった十代後半の私は、音楽をやる以外に道はないとさえ思うようになっていた。

その後、音楽家になるはずだった私は、向いていないとは思いながらも、哲学や思想史の研究の道へと進んでしまった。人生最大の後悔は、哲学や思想史をやる、と決めたことだろうか。それでもなお、時間は戻らないし、死んだ友人も戻らない。いまに至るまで相も変わらず、フィッシュマンズを毎日のように聴き続けている。ちょっと変わったことといえば、自分のなかで、フィッシュマンズが精神を占める割合が一〇〇パーセントだった十代二十代から、それがいまだと八〇パーセントくらいに減ったことくらいだろうか。比重が軽くなったことで、どうなったかといえば、なんでもない日常とやらのなかで、歩くスピードがさらに遅くなった。もちろん、大学教員というある種恵まれた環境にいるからこそ、こうできるのかもしれないが（当然、昨今の大学はクソだとは思いながら）、それでもなお、やるべきことをやるという信念をもち、「冷たいこの道の上を　歌うように　歌うように歩きたい」。

本が刊行されたりするとよくトークイベントなどはやるほうだと思うし、もちろん嫌いではないのだが、基本的には大変根暗な人間なので、あまり人前に立ちたいとは思わない。マルクス主義者はよくリーダー待望論をいうが、アナキストである私にとっては、リーダーほど不要なものはない。人前に立って、環境問題や労働問題を前傾化させるのもいいだろう。しかし、結局、それで人気者になったとて、環境問題も労働問題も解決しない。イベントが盛り上がっても、そのあとに何かつながるようなことはほとんどない。その意味でも、「死ぬほど楽しい毎日なんて　まっぴらゴメンだよ」（「DAYDREAM」）。

じゃあどうするかって？　自ら特異だけれども、匿名の存在と化して、地味な毎日の運動を続けて、蜂起、あるいは政府転覆をもくろむしか道はないと踏んでいる。あるアッセンブリーに参加したことがあるが、民主主義は地味なものだ。妥協の産物でしかない。蜂起の現場に出くわしたことがあるが、もちろん炎が上がると興奮はする。しかし、体力勝負の地味なものである。とはいえ、これらのおかげでヨーロッパは福祉を勝ち取ってきたわけだ。抵抗することでしか私たちの世界はよくならない。そして、政府転覆を経験したことはないが、いつか私が生きている間に、できれば、世田谷や東京の西の郊外あたりで革命が起きたらいいのに、と常々思っている。フィッシュマンズにも、こういった側面がないわけではない。「アーこの国の気分は　変わりすぎて疲れるぜ」「勇気のカケラも見せずに　死ぬのはだれですか」（「気分」）。世田谷より西の郊外どころか、西に行きすぎて、須弥山や三井楽に近い長崎に住まういまでも、革命のための炎が燃え上がったら、私は二段階革命をしに、すぐそちらへ向かう。

注

（1）「ユークリッド／非ユークリッド」に関しては、例えば本書「19月と靄――稲垣足穂におけるリーマンと相対性理論、タルホ・コスモロジー」を参照。

2 ルー・リードとニューヨーク

ルー・リードとニューヨーク。音楽を愛する者であれば、ニューヨークという怪物的都市の名はなまめかしく、そして恐ろしい。ルー・リードが生まれた一九四二年のニューヨーク（のブルックリン）はニューディール政策以降の時代で、そのあおりを受けて都市破壊政策によって混乱を極める場所でもあった。いうまでもなく、戦後もニューヨーク市はジェントリフィケーションを立て続けにおこなっていき、世界貿易センタービルなきあとでさえ、恐ろしいほどの断末魔の叫びをあげながらすさまじい金融都市へと成り下がっている。こうしたなかにあってなまめかしさは消えつつあり、恐ろしさが眼前に立ちふさがる。

トーキング・ヘッズでその名を世界に轟かせ、ニューヨークを私たちと同様になまめかしさの点で愛しているであろうデヴィッド・バーンは、先のニューヨーク市長選の最中にこう述べていた。

どんな才能をもった若い連中も、この街〔ニューヨーク〕にもはや足場を見いだすことはできない。なぜならニューヨークがかつて豊穣な街であった以上に、香港やアブダビのような街になりつつあるからだ。(1)

ジェントリフィケーションによってニューヨークは年々、さしてお金もない若者たちには住みにくい街に成り下がっている。セントラルパークの周りは金持ちたちで埋め尽くされ、その金持ちたちにだけセントラルパークの景観とやらを守る権利がある時代。現在にあって公園も美術館もコンサートホールも彼らのためだけに存在しているに等しい。デヴィッド・バーンいわく、「自宅の窓から見える超豪華なマンションが三つあるが、どれも常時人が住んでいるとは思えない」。つまり金持ちたちは不動産を所有していても、その家は時折バカンスか仕事かで立ち寄る程度の「空き家」であり、そうした「空き家」の所有者連中にしかニューヨークの景観を守る権利がないのである。こうした事態に対して彼はこう続けている。「ふざけんな！（What the fuck!）」。若さと野心あふれる人々によって創り出され、路上から湧きたつ文化は消え去り、消費される文化だけが交換される都市に成り下がっているのである。その意味で現在のニューヨークは、デヴィッド・バーンにとって世界に悪名を轟かせている香港やアブダビのような金融都市として存在しているにすぎない。(2)抵抗運動が弾圧されてからというもの、近年香港では面白い人々はそそくさと国外に脱出したり、隙間がまだある場所へと姿をくらましていった。もちろん、たくましく、慎ましく香港で生き続けている人々もいるが、ここ数年、香港から面白い情報をほとんど聞かなくなった。

なまめかしい都市を考えるとき、そこには常に民衆がいる。消費される文化があるのではない。創造する文化があるのだ。受動ではなく、能動の力が民衆から放たれるとき、ニューヨークはなまめかしく私たちの眼に映るのである。

ルー・リードの家系はよく知られているように、ユダヤ系である。彼の先祖たちは一八八一年から一九二四年までの間にヨーロッパからこの地にたどり着いてきた[3]。そして彼の同時代人たちが「ニューヨーク革命的左翼の中核を担っていった[4]」。むろん、黒人たちと結び付きながらアメリカの公民権運動を民衆の立場から突き上げていったのである。ルー・リードの大学時代の恩師でもあるデルモア・シュワルツもまたユダヤ系の家系であり、彼の作品では一九〇〇年代初頭のブルックリンのコニーアイランドで生活するユダヤ系移民たちの心の揺れ動きを鮮明に描いている[5]。ルー・リードはデルモア・シュワルツに二曲ほど捧げている（ヴェルヴェット・アンダーグラウンド時代の「European Son」とソロ作品の「My House」）。そのなかの「My House」にはこうしたリリックが書かれている。

　デルモア、あなたの面白いやり方が恋しかった
　あなたのジョークや素晴らしい言葉が恋しかった
　Delmore, I missed all your funny ways
　I missed your jokes and the brilliant things you said

常に民衆たちは顔と顔を突き合わせ、影響を及ぼし合う。社会とは、資本の投下によって醸成されるのではない。そうではなく、民衆が出会い、相互触発をおこない／おこなわれる「場」なのである。常にそれらが拮抗しながらも、それでもやはりルー・リードが育ったニューヨークには後者の「場」が豊かに成立していたのも確かだ。

セクシュアル・マイノリティたちの大きなうねりもまた、こうした豊かな「場」を能動的に作り上げる存在だ。ＡＩＤＳ（後天性免疫不全症候群）がニューヨークに広がる一九七〇年代後半からさかのぼること十数年。学生だったルー・リードは、医療の一環として（！）電気ショック療法を受けている。[6] セクシュアル・マイノリティに対して当時のアメリカ心理学会は、精神病理だとする見解を打ち立てていて、そうしたなかにあって、ルー・リードもまた「治療なるもの」を強制させられていたのである。第二次世界大戦後から「同性愛好の嫌疑」で多くの人々が逮捕され、ルー・リードの同時代にあっても、ゲイバーへの警察による摘発や不当逮捕が相次いでいた。六九年には、民衆たちの暴動にも発展している。その後は「ゲイ市民権」を掲げて多くのニューヨーカーが立ち上がり、七〇年代のゲイ文化は大いに栄えた。[7] しかしのちのＡＩＤＳの蔓延によって、数多くの差別をはじめとした罵詈雑言もまた広まるようになる。こうした事態に対抗しながら連帯するセクシュアル・マイノリティたちが数多く現れ、のちの ACT UP などの幅広い領域での運動体が組織されるようになるのである。ニューヨークは、ルー・リードが述べるように、「世界中でただひとつ、街と呼ばれる資格がある街」なのだ。彼はこう述べている。

自由、すべてに関する無限の可能性——映画、中国文化、人、場所、もの——現実とは思えないほど素晴らしいゴタマゼとエネルギーの街。世界中でただひとつ、街と呼ばれる資格がある街。ぼくが嫌いなところ——犯罪、交通、犯罪的な地下鉄のシステム、貧困層や少数民族やホームレスたちの窮状と感情にほおかむりを決め込む市当局……古臭い司法制度、古臭い行政事務と組合の規則、規定、組合員——二級品の公立学校制度[8]

「ぼくが嫌いなところ」は、ニューヨークの民衆たちもまた忌むべき対象であるだろう。この発言は一九八五年のものである。この発言の約十年後からルドルフ・ジュリアーニ、そしてマイケル・ブルームバーグという共和党選出の開発主義者たちが立て続けに市長になる。二十年間にわたるネオリベ政治家たちの悪政によって、「嫌いなところ」がこのとき以上に顕在化してしまう。冒頭のデヴィッド・バーンが述べていたようなニューヨークに成り下がっていくのである。このころには、ルー・リードもニューヨークからニュージャージー州に移住する。ニューヨークという都市はルー・リードという民衆のなかの一人を生み出す。そしてニューヨークには多くのルー・リードがいる。反対に、民衆などはなからいなかったかのように振る舞い、ただ金儲けのサイクルに乗りたいだけの行政と企業のばかどもが、数々の勝利宣言を、道路や建物という仕方で民衆に知覚させる。おそらく、このままではルー・リードは二度とニューヨークから復活しない。生まれない。

　ルー・リードは鬼籍に入ったが、ニューヨークはルー・リードを再び生み出すだろうか。ニューヨークという怪物的都市の名はなまめかしく、そして恐ろしい。

注

(1) 以下を参照されたい。David Byrne, "Will Work for Inspiration," "Creativetime Reports," October 7, 2013 (http://creativetimereports.org/2013/10/07/david-byrne-will-work-for-inspiration/)[二〇一四年四月一日アクセス]

(2) 個人的な余談ではあるが、アブダビに知り合いはいないが、香港にはいる。そして香港の友人たちは、すさまじいジェントリフィケーションと闘っている。香港では旧倉庫街・工業地帯の再開発がすさまじい。そんななかでこうした地区でライブハウスを運営している友人たちがいる。Hidden Agenda というライブハウスである。香港政府は、ライブハウスを経営する際に高額のライセンスを求めている。しかもそのライセンスの内実は、飲食を出すこと、路上で演説すること、大学内(!)で講演をおこなうことの許認可である。ライブハウスを経営するのに、いったいこれらのいずれが関係あるのか。常に、(友人たちがこう呼ぶ)「制服たち」はこのライセンスを形式上の理由にして、立ち退きを命じてくる。この闘いに関しては友人たちの映像作品である『Hidden Agenda the Movie』(二〇一二年)に詳しい。

(3) 高祖岩三郎『流体都市を構築せよ!――世界民衆都市ニューヨークの形成』青土社、二〇〇七年、二七九ページ

(4) 同書

(5) 例えば、Delmore Schwartz, *In Dreams Begin Responsibilities and Other Stories*, Souvenir Press, 2003を参照されたい。なお、デルモア・シュワルツはハーバード大学で哲学者アーノルド・ノース・ホワイトヘッドに学んでいたことがあったそうだ。ホワイトヘッドは一応のところ筆者の専門

対象としている哲学者なので、ホワイトヘッド―シュワルツ―リードのラインで何か書けないかと思ったものの、まだ資料を十分にディグっていないので、この点については他日を期す。

(6) 例えば、アンソニー・デカーティスの綿密な評伝によれば「ニューヨークのクイーンズにあるクリードムア精神科病院で治療を受けたリードは、そのせいで見る影もないほどボロボロになった」（アンソニー・デカーティス『ルー・リード伝』奥田祐士訳、亜紀書房、二〇二三年、三四ページ）とある。

(7) ここでの記述は、高祖岩三郎『ニューヨーク烈伝――闘う世界民衆の都市空間』（青土社、二〇〇六年）一五七ページ以下に負っている。

(8) ピーター・ドゲット『ルー・リード――ワイルド・サイドを歩け』奥田祐士訳、大栄出版大栄教育システム出版部、一九九二年、四〇六ページ

3

特異性の論争(コントロヴァーシー)――プリンス、その経験の雫

はじめに

どのような存在も特異である。しかしプリンスの音楽は輪をかけて特異である。潜在的強度がある。それを顕在化させている。しかし特異でありながらも、プリンスの音楽は定冠詞付きのアメリカ音楽である。特異であると同時に超越論的である。プリンスの音楽は特異な肉体から発せられると同時に、肉体を超えて宇宙の精神と共鳴する。

プリンス・カラーはパープルである。しかしそれ以上に白黒である。グレーではない。白と黒である。見せかけのパープルの内奥に、白と黒のコントラストがちらつく。過剰な光による白があり、それと対比される黒があるのではない。そうではなく、純然たる白と黒の配色が矛盾しながらも特異な存在のなかで一つの論争(コントロヴァーシー)をなし、それが紫を発色させている。

ここでは前述した意味でのプリンスの特異性とその強度たらしめる色とを、彼が顕在化させた作

品群から読解する。いうまでもなく、自らの矛盾と自ら論争したことがある特異な存在の宇宙の持ち主こそ、プリンスの音楽が共鳴するのだ。

私自身でいること

一九八四年に発表された「I would die 4 u」でプリンスはこう歌っている。

女でもない
男でもない
私はあなたが決して理解できない何者かだ
I'm not a woman
I'm not a man
I am something that you'll never understand

私は誰でもない。ともすれば誰でもいい。ミネアポリスの人民だ。長崎の人民だ。都市の民衆だ。宇宙の構成員だ。誰でもあると同時に誰でもない。特異な存在であるということだ。特殊ではない、普遍でもない。生物学的に、社会構築主義的に、私たちはともすれば性差で語ってしまうこともあるかもしれない。しかし私は私であるし、あなたはあなたである。しかし同時に私は私であり、私はあなたである。それ以上でも以下でもない。存在を語ることは、主語が仮に私であっても、その私とは他者である（Je est un autre）、ということだ。

私があなたに話しかけることに一貫しがちな月並みなラブソングには、こうした強度はない。一段階高みに昇った立場からこのリリックは書かれている。だから「決して never」という語を使用することができる。通常の主語・述語の位相では「決して」など口約束にすぎない。しかしこの一段高みに昇った地位において「決して」という語は、文字どおり「決して」なのだ。通常の主観性とは異なる位相で主観を語る。超越論的主観性の地位にプリンスは昇る。だから民衆であると同時に、天使なのだ、神（王）の子なのだ、プリンスなのだ。

神（王）の子とはいえ、人の子だ。人民だ。誰もが指摘していることなので、ここでは簡単に記すだけにしておく。プリンスはミネアポリスで育った。人種構成比の八〇パーセント以上が白人系の住民が住まう都市である。そうした都市で育ったプリンスがラジオから聴く音楽は、おしなべて白人ロックだった。しかしロックがそもそもブラック・ミュージックであり、それが白人の多くによって演奏されることになっている時点で、ロック自体がきわめてアメリカ音楽的になっているのはいうまでもない。ただそうではあっても、やはりプリンスはＪＢ（ジェームス・ブラウン）やスライ・ストーンに影響を受けたといわれている。同時に、ボブ・シーガーの影響も受け、彼は「パープル・レイン」のようなロック・バラードをも編み出す。通常ならば、このように相いれることはないだろうスタイルをプリンスは平然と乗り越えて楽曲を作り出す。それもプリンス色としかいえない、白と黒の配色がきわめて濃厚な仕方でだ。これら白と黒の配色を基盤にしながら（特異な超越論的主観性）、彼のなんでもなさ＝特異性を象徴させるように、パープルを現実に位置させる

（普遍と特殊）。天から降りた民衆としてのプリンスは自らをパッケージングする。内的な論争の果ての戦略である。

アメリカ音楽、それもアメリカの大衆音楽は常に、こうした戦略に満ちている。とりわけ消費文化かしましい一九八〇年代となれば、戦略的に世の時流に乗ろうとするのは、プリンスも時代の子である。そうした消費文化が世界を席巻し、その時流にプリンスも乗じたからこそ、東アジアの私たちでさえもプリンスに狂うことができる。踊ることができる。感化される。また、こうした否定的な側面もある。そう、資本主義が世界を支配してしまったがゆえに、私たちはそれに踊らされてしまったのだ。しかしそうとはいえ、プリンスは東アジアの私たちを狂わすことができるという「頑固な事実」もまた存在する。やはり冒頭にも述べたように、自らの矛盾と自ら論争したことがある特異な存在の宇宙の持ち主こそ、プリンスの音楽が共鳴するのだ。

白と黒

『アンダー・ザ・チェリー・ムーン』（一九八六年）は白と黒で描かれる。単なるモノクロ映画なのではない。撮影はミヒャエル・バルハウスである。彼はライナー・ヴェルナー・ファスビンダーの右腕である。彼がファスビンダー作品で初参加した『ホワイティ』（一九七一年）を想起されたい。そこでは、白と黒のコントラストを一つの存在において体現している問題系が鋭く捉えられていた。ファスビンダー作品では、白の光彩が際立つことからも理解できるように、陰影の過剰さを際立たせている。また、モノクロで撮られたファスビンダーの『ベロニカ・フォスのあこがれ』（一九八二年）を想起されたい。撮影はバルハウスではないものの、あくまでファスビンダーは、白と黒を対置させている。そのコントラストが過剰なのだ。

それに対してプリンスの作品では、白と黒とが同居する。コントラストがコントラストのまま一つの地平で存在している。過剰さなきコントラストが存在する。コントラストがありながらも調和する。これはプリンスのあらゆる作品に一貫して読解することができる一つの通奏低音である（余談ではあるが、「When doves cry」などベースが使用されていない楽曲であっても、である）。色彩としてのパープルはあくまで表のものである。プリンスとプリンスならしめている強度の一要因には、この白と黒のコントラストの調和にある。プリンスの全作品で、この強度は顕在化している。プリンスは「Controversy」で次のように歌っていた。

黒か白か？
ストレートかゲイか？　論争だ
Am I black or white?
Am I straight or gay? Controversy

黒か白かなどという問いは愚問だ。ストレートかゲイかなどという問いは愚問だ。しかしながら、それらを問わざるをえないような問題系を潜ませている。答えは簡単だ。白と黒だ。ストレートでゲイだ。私は私で、あなたはあなたなのだ。私はあなたで、あなたは私なのだ。そしていうまでもなく、これらが一つの存在の強度をなし、作品で現実化されているのである。

まさに現実にも対応した仕方で、プリンスは曲を制作する。二〇一四年八月にファーガソンで、十八歳の黒人青年マイケル・ブラウンが白人警官によって殺害された。大学入学をひかえた青年は、無実の罪で、肌の色によって差別され虐殺された。一五年四月にボルティモアで、二十五歳の黒人青年フレディ・グレイが白人警官によって殺害された。「目が合った」だけで虐殺された。これらの事件に全米が立ち上がり、BLMと呼ばれる黒人暴動が沸き起こった。これは日本でももっと知られていい頑固な事実だ。黒人というだけで殺されるという事実。プリンスにとっても、私たちにとっても、許しがたい事実だ。私たちは黒であり、白である。黄色でもあるだろう。何色でもある。とりわけプリンスは白と黒だ。あるいは何色でもない（表向きは紫だけれども）。現にある肌の色だけで殺される事実には、真っ向から対抗する。そうしたなか、「Baltimore」という曲が歌われた。この点について、このように述べている。

この曲（「Baltimore」）は、一五年四月十二日にメリーランド州ボルチモアで起こった黒人男性フレディ・グレイが警察から暴行を受け、その一週間後に死亡した事件を題材にしたもの。レコーディングは四月三十日に行なわれ、五月六日にはボルチモアで特別ベネフィット・コンサート「ラリー4ピース」を開き、同月中にこの曲のダウンロードでの販売もはじまった。いかにプリンスがこの件に怒り、胸を痛めていたかが窺われるが、プリンスはこの年の二月にグラミー賞のスピーチでも、白人警官ジョージ・ジマーマンが無実の黒人高校生トレイヴォン・マーティンさんを射殺したにも関わらず無罪判決を受けた事件に関する抗議のハッシュタグに言及していた。ヒューマニストとしてのプリンスを代表するという意味で、この曲は晩年の傑作として無視することができないだろう(1)。

プリンスはこう歌う。

聞こえるかい
マイケル・ブラウンやフレディ・グレイのために祈る声が
戦争がないことが平和なんじゃない
Does anybody hear us pray
For Michael Brown or Freddie Gray?
Peace is more than the absence of war

戦争と平和と題した文章はピエール・ジョゼフ・プルードンもレフ・トルストイも書いている。アナキストだけでなく人民に広く知れ渡った議題だ。あるいはピエール・クラストルを想起してもいい。いずれにせよ、国家間の戦争がなくとも、論争が内的に存在する、社会に暴力が存在する。論争を調和させていくものこそが特異性を獲得する。社会に抗する力を発露させることで特異な者たちによる暴動が立ち現れる。その結果、社会が、国家が服従する。敵は人種差別だけではない。

上と下との戦いが始まっている。それが二十一世紀だ。マルクスの亡霊が、アナキズムというゲニウス・ロキが立ち現れる。

私自身でいること、再び

私は私である。しかし、それを拒む要素がそこかしこに散らばっている。社会的属性、マイナンバー、ヘイトスピーチ、戦争。私たちはどこに住まうのか。住まうべきなのか。そこに平和はあるのだろうか。例えば、プリンスは「1999」で終末的世界での「自分自身」をこう歌い上げる。

> 戦争は至る所に
> 自らの精神は闘争に備えろという
> どうせ死ぬなら
> 今夜はやりたいようにやる
> War is all around us
> My mind says prepare 2 fight
> So if I gotta die I'm gonna
> listen 2 my body tonight

常に論争を抱えること。そうした者たちだけが終末を生きることができる、カタストロフを生きることができる。どうせ死ぬのだ。ならば生きるのだ。どう生きるのか？　やりたいように生きるのだ。群島に住まう者、大陸に住まう者、半島に住まう者、トポスによって問題系が異なるのは当然だ。しかしどこにいようとも、自分自身でいることを徹底して説いたのがプリンスだ。体と密談する。それが社会的に誤ったことであれ、自分自身に嘘はない。賭けただけで、人生は勝ちなのだ。賭けた先へ行く。そこには勝利しか待っていない。終末であれカタストロフであれ、踊るのだ。狂うのだ。しかしそこには一抹の不安も混ざる。それは当然だ。白と黒がコントラストを有しながらも調和するように、狂気と不安がコントラストを有しながらも調和しているのだから。それが特異性だ。

ここはいるべき場所じゃない
そんな訳ならいくらでもある
自分が自分でいる今
恐れてはいけない
恐れず行くんだ
帰る場所を見つけるまでは
So many reasons why
There's so many reasons why
I don't belong here

But now that I am I
Without fear I am
Gonna conquer with no fear
Until I find my way back home

いうまでもなく、「帰る場所」は地理的な位相にはない。超越論的主観にとっての場である。その場こそ、文字どおり「帰る場所」として理解されるだろう。私がいるべきところはどこだろう。ここではないどこかへ。

論争を抱えた者は、常に「やりたいようにやる」。そして「恐れず行く」。それがどこかなど誰もわからない。当人にもわからない。しかし、誰にでもわかる。当人にしかわからない。それが「帰る場所」である。自分自身でいられる場所こそ帰るべき場所だ。やりたいことができる場所こそ自分が突き進むべき場所だ。コントラストは現実と齟齬をきたす。概念上の白と黒のコントラストがある一方で、現実では黒が殺されている。白と黒の概念はそのとき光が当てられる。問題系が浮き彫りになる。強度が高まる。そして強度が高まったことで、再び新たな表現を模索するようになる。その結果、概念上の白と黒は、また新たな価値を帯び、その内実が転換されていく。哲学者アーノルド・ノース・ホワイトヘッドはこの道筋をこう説明している。

いまや、原初的な概念的感得との統合によって価値づけられたものとしてのモノ的感得、コントラスト化された二次的概念的感得を伴った統合、概念的コントラストを導入する主体的強度の等級の高まり、そして転換された感得がこのコントラストを導入する新しい要因であるがゆえに、この高められた強度のこの転換された感得への集中がある。モノ的目的はこうして、創造性に複合的性格を与える。[2]

プリンスという身体はプリンスとして親に名づけられ、もろもろの概念や理念を背負う。ミネアポリスでの白と黒の音楽という理念の受肉が彼にとって、ついで彼によってなされる。次第に、彼独自の音楽性を高めていくことになる。その後は私たちが知るところのプリンスだ。もろもろの概念がプリンスによって転換されたのだ。こういってもいい。公民権運動の時代から、人種差別撤廃運動の高まりは常にある。キング牧師のように、体制側と折衝をおこないながら公民権運動を実現していった者もいれば、マルコムXのように、暴力概念を武器に折衝をおこなっていった者もいる。次第に黒人の地位向上がなされていくが、それでもなお、愚劣なヘイトスピーチや、いわれなき殺人がまかり通っている。それに対してBLMがやはり立ち上がり、いまもなお黒人の命に、生に、光が照らされている。ここに、新たな問題も生じている。ボルティモアでは例えば、ブラック・パンサー党の一部の者がいまや議員や役人として体制に組み込まれている。同じ黒人であっても、体制側と大衆側とで分裂が生じているのが事実だ。そこでこう問いを挟むことができるのではないか。階級闘争という価値転換がなされるべきではないだろうか、と。人種だけではない。問題は重層的である。とりわけ、アメリカ社会で人種とその階級構成は密接に結び付く(日本も例外ではないだろう）。アンダークラスにたたき落とされているのは、社会のせいである。人種のせいではない。しかしそれが密接に結び付いてしまう。

シスターは暮らしてはいけないから、赤ん坊を殺す
その一方で我々は人類を月へ送り込んでいる
Sister killed her baby cuz she could afford 2 feed it
And we're sending people 2 the moon sign O time

貧困家庭では実の子を殺し、その一方で資本がふんだんに投資される領域で私たちの実人生と全く関わらないようなことが平気でおこなわれていく。一歩押し広げてみればわかるように、問題は階級闘争であり、そこに自分自身であることが賭けられていく。歌われていく。シスターの肌の色は白くない。そして彼女はなぜシスターになったのか。貧困のどん底にたたき落とされたからではないのか。その一方で、白人が多い知識人階級がこぞって科学を探求する。軍事力を拡張していく。その一環で月へ人類を送り込む。私たちの日常生活とはかけ離れた世界だ。とはいえ、どちらの階級も私たちだ。私たちのうちにあるものだ。そこで論争が生じる。そこからプリンスは愛を歌い、論争と調和を実現していこうと試みる。Love と Sexy に実人生を投げ込み、紫を演じるのである。自分自身であることとは、愛の問題、社会の問題、宇宙の問題と通底するのだ。

プリンスのあとで

プリンスのあとで、私たちは何を聴けばいいのだろうか。答えは簡単だ。プリンスを聴けばいい。しかし、生身のプリンスはもういない。悲しすぎる頑固な事実がある。ではどうするべきか。生身のプリンスはなくとも、プリンスの問題系を抱えたミュージシャンは数多く存在する。むろん、プリンスそのものではない。プリンスの問題系を抱え、そして新たな仕方で、そのミュージシャン固有の仕方で表現している猛者がいる。ここでは、最後に、ディアンジェロについて思考を巡らせてみよう。

プリンスの強度は白と黒にあると先に述べた。ではディアンジェロはどうだろうか。ディアンジェロは黒の強度が強烈だ。黒を微細にしていく。黒を具体的に歌い上げる。どういうことか。例えば、『Voodoo』(二〇〇〇年)というアルバムタイトルを想起されたい。黒人の呪術的宗教だ。また例えば、『BLACK MESSIAH』(二〇一四年)というアルバムタイトルを想起されたい。あるいは「Africa」という曲名でも、「Roots」という曲名でもいい。それぞれの曲の構造もそうだ。黒い。黒すぎる。白と黒のコントラストが内的に存在するプリンスと大きく異なるのは自明のことだ。しかし、である。白と黒の問題系を社会に、宇宙に広げてみる。こう考えることができる。つまり、資本主義文明が、ホワイトな文明が社会を、宇宙を支配しようとしている。その社会の、宇宙の白さに対してディアンジェロがコントラストを配置していると考えたらどうだろうか。漂白されすぎると、社会と宇宙は居心地が悪い。むろん白はあるべきである。しかし白だけの社会は、宇宙は存在していない、ということが私たちの現実だ、具体性だ。

そもそもこの宇宙は無限である。それが具体的事実である。抽象的事実ではない。私たちは具体的な生を求める。こう考えるとき、日本のアナキスト石川三四郎はこう述べていた。「アナルシストは無限を生活する」[3]。社会生活と美をめぐって書かれた石川の「動態社会美学としての無政府主義」の第七節「無限の勝利」で繰り返し現れる言葉、それが「アナルシストは無限を生活する」である。

この宇宙が無限である以上、相対的なものが無限に散らばっていることになる。「たゞ相対に即する、それのみが絶対である」[4]。だから、私たちが生きる時代が「保守反動的に激化するときには、それに対立すべく最左極に歩みを進めることが最も交響的意義を発揮する。社会があまりに強権的国家至上的思想に動かされた場合、最も強烈に個性の尊厳と自由と独立とを力説することが、ディナミックの美の表現となる」[5]。国家が私たちを統制するならば、私たちはそれに従わない。私たちは私たちにだけ従う。私たちの自由を求める、私たちの尊厳を求める。

白だけの社会、宇宙などそもそも存在しない。しかし見かけ上、それによって支配されつつある。白も黒も黄色も褐色も、ともすれば紫も、何色でも存在し、それらが相対的にこの地球に住まうのが常態だ。しかし白がむしろ激化するならば、白だけがヘゲモニーを握ってしまうならば、それに対立する黒に歩みを進める。そうすることで、この社会の宇宙の美を表現することができるのではないか。白だけではない世界、つまり当たり前の世界を私たちが描く、ディアンジェロが描く。そしてその黒を微細に、繊細に語り継ぐ、歌い上げる。こう考えるならば、ディアンジェロもまた、プリンスの問題系をともにしているのではないか。いうまでもなく、ファルセットボイスはプリンス由来だ。「Untitled」はプリンスを受肉して作られたものである。私たちがプリンスを抱握するように、ディアンジェロもプリンスを抱握しているのだ。

プリンスがこの世を去って、ディアンジェロは「Sometimes it snow in April」を奏でた。音を当初は外しながら歌っていた。次第にディアンジェロのファルセットが威力を発する。ときに悲しみで声がつまりながらも歌った。ディアンジェロのプリンスだ。プリンス亡きあとにも、私たちはプリンスを聴く。

プリンスの「帰る場所」はどこだろうか。私たちの「帰る場所」はどこだろうか。私たちは、論争を生きる特異性の分子だ。それぞれがそれぞれの仕方で「帰る場所」を求める。クリストファー・トレイシーの死を、プリンスの死を、自らのなかの論争をたぎらせてくれた者の死を、抱きしめる。一人ひとりがプリンスであり、そしてプリンスではない。コントラストを生きる。それぞれの「Sometimes it snow in April」を奏でる。それぞれが雪の一粒になる。涙の一粒になる。特異な存在の雫になる。[6] 自らの矛盾と自ら論争したことがある特異な存在の宇宙の持ち主こそ、プリンスの音楽が共鳴する。

注

(1)『プリンス——1958-2016追悼プリンス』(シンコー・ミュージック・ムック)、シンコーミュージッ

ク・エンタテイメント、二〇一六年、九五ページ

(2) Alfred North Whitehead, *Process and Reality*, Free Press, 1979, pp. 278-279.

(3) 石川三四郎『石川三四郎著作集3 論稿Ⅲ』青土社、一九七八年、二一六ページ

(4) 同書二一七ページ

(5) 同書二一五ページ

(6) ホワイトヘッドは例えば、それぞれの存在を「経験の雫(drops of experience)」と呼んでいた。ホワイトヘッドはこう述べている。「現実的存在——現実的契機とも呼ばれる——は、世界がそれからなる究極的な実在的事物である。現実的存在の背後に何かを見いだそうとしても、それ以上に実在的なものなどない。現実的存在は互いに異なっている。例えば、神は一つの現実的存在であるし、はるか彼方の空虚な空間にある最も些末な現存する一吹きもまたそうである。重要さには段階があり、機能の多様性があるものの、現実性が例示する原理において、すべては同一レベルにある。究極的事実は一様にすべて現実的存在である。そしてこれらの現実的存在は複合的かつ相互依存的な経験の雫である」(Whitehead, *op. cit.*, p. 18)。私たちは一人ひとり特異な存在だ。しかしいうまでもなく、精神的にも物理的にも何かに常に依存している。プリンスに依存している、ディアンジェロに依存している。それでもなお、私たちはそれぞれがプリンスであると同時にプリンスではない。この意味で、「相互依存的な経験の雫」なのだ。

4 キング・クリムゾンの残響——一九六九年の精神史

二十一世紀の精神異常者

一九六九年。イギリスの音楽史のなかでどの系譜にも属さず、突出した狂気をはらませた音楽が世に受け入れられる。『クリムゾン・キングの宮殿』である。ビートルズもある種の時代の空気を吸っていただろう。ローリング・ストーンズもまたそうだっただろう。しかしキング・クリムゾンは、違う。時代に沈潜した土を掘り返したのだ。時空間を背負ったのだ。『21世紀の精神異常者』と訳されるアルバムの一曲目は、どの時代の人間にも六九年の空気を吸入させる。

Napalm fire——一九六五年、ベトナムでは北爆が開始された。その前年にはトンキン湾事件が起こり、いうまでもなく、この事件そのものがでっち上げだった。とにかく、アメリカは資本主義国家の威信をかけてまでも、社会主義体制を打倒したい。『フルメタル・ジャケット』（監督：スタンリー・キューブリック、一九八七年）の終盤、「ミッキーマウス・マーチ」が歌われる。プロ倫的資本主義の発露。末端の人間の精神までをも蝕む行進。ベトナムから遠く離れれば、世界中で学生運動と反戦運動が激化する時代。『ペンタゴン第六の面』（監督：クリス・マルケル／フランソワ・レシャンバック、一九六八年）ではこう始まる。「ペンタゴンの五つの面が侵攻不可能なようにみえるなら、第六の面を攻撃せよ」。この映画の後半では、警察によってデモ隊が大弾圧されていく。ここでもまた、現在に至るまで圧倒的な権力と資本主義の高進が描かれている。ゴダールはこう述べている。

『ワン・プラス・ワン』には、尻の映像とヒトラーのテクストがともに入っていました。ワン・プラス・ワンがあったわけです。それにまた、ベトコンの映像もありました。カメラが尻の映像をぐるっと見わたすたびに、少女がベトコンの頬に平手打ちをくわせながら、《キリー・ヴィクトリー》、と叫んでいました。なんなら、あれもまた、ベトナム戦争のやり方のひとつと言えます。『グリーン・ベレー』とか『帰郷』とかのとは違う、ベトナム戦争のやり方のひとつなのです……　私は結局のところ、当時の自分に満足しています。というのも、私は、ベトナムに入ることができなかったにもかかわらず、自分を自分なりのやり方で左翼とみなしつづけた数少ない映画作家の一人だからです。私は当時、ベトナムについてのドキュメンタリーを撮りにゆかせてくれと頼んだことがあります。クリス・マルケルが『ベトナムから遠く離れて』をつくっていたころです。でも私は結局、ベトナムに行くことができず、クリス・マルケルのその映画のなかで、《ぼくはベトナムに行かなかった》とかと言いながら自分で自分を撮るという、ささやかな笑劇を演じました。でも私が思うに、カメラとそのハンドルにはかつての高射砲に似たところがいくらかあります。それに、私が当時考えていたのは、平和が訪れるまでは……というか、平和というのはおかしなものです。なぜなら、平和になるとすぐ、また別の戦争が始まるからです。そしてそのことについては、だれもなにもしゃべろうとしないのです。(1)

ベトナムから遠く離れて——反戦の運動の多くは、そして反資本主義の運動の多くは、むろんベトナムを直に知ることはない。しかし、遠く離れることによって、戦争と資本主義に攻撃を加えることができる。第六の面を攻撃する。兵士は狂気に駆り立てられ、ベトナムの人民を殺戮する。何も考えずに前線に送り込まれた者もいる。帰国後、精神疾患にかかった者もいる。アメリカという国家に「エンパワー」されていく人々。民主主義とはほど遠い。ロバート・フリップからすれば、上からの変革の帰結が戦争なのだ。あくまで彼のなかではジャック・エリュの言葉がこだましている。「生活のスタイルは、今日において革命的行動のもっとも肯定的な形である」。そして、そうした時代状況のなかにあって、彼(ら)は『21世紀の精神異常者』を作り出し、このアルバムは一九六九年にリリースされる。エリック・タムとロバート・フリップの会話がある。「『21世紀の精神異常者』の起源は何だったのですか?」と問われ、「まずあの出だしのメロディー「ダーダラダッダッダー」のところは、グレッグ・レイクが考えた。そのほかのイントロ部分はイアン・マクドナルドのアイディアで、インストゥルメンタル部分の初めのほうのリフは僕が考え、エンディング部分を全員のユニゾンで速く弾こうと言い出したのはマイケル・ジャイルズだった」[2]と答えている。これ以上のことはエリック・タムも聴かなかったし、ロバート・フリップも答えなかった。沈黙した。しかし、私たちは愚劣に答えていこう。もの言わず、黙々と、時代に沈潜した土を掘り返したのだ。時空間を背負ったのだ。

風に語りて

イギリスでは一九六〇年代当時、反精神医学を掲げたロナルド・D・レインがいた。自己責任・家族責任。精神疾患の生成原因を狭い範疇に捉えることなど、きわめて不毛だ。封建制とヒステリー、資本主義と分裂症、そして現代は？　いずれにせよ、時代の通奏低音として狂気が語られなければならない。凡庸な精神医学に抗い、だからレインは精神疾患の環境分析を始める。このとき、具体性とは、現実性とは、脅威である。レインはこういう。

人はおそらくつねに、人生への参加を試みるか、分離の立場をとるかの選択に迫られる。けれども〈現実〉に対する分裂病質的防衛は、現実の根源的な脅威的性格を恒久化しかつ強化させるという重大な欠点をそなえている。人生への自己の参加は可能であるが、激しい不安に直面せねばならない。フランツ・カフカが、人生に参加しうるのは不安を通じてのみであり、それゆえ自分は不安なしには存在しえないと語ったとき、彼はこのことをよく知っていたのである。分裂病質的人間にとって人生〈への〉直接的参加は、人生によって破壊されるという絶えざる危機に身を置くことである。というのは自己の孤立とは、すでに述べたように、確固たる自律性と統合性の観念が欠如している中で自らを保持しようとする努力だからである。[3]

現実に根づけば根づくほど、脅威に、沈黙に触れる。そこでは量子が真空で揺らぐように、無における有が見いだされる。一個体のなかの無限が見いだされる。私でいることは、絶えず私ではいられないこと。それは、自己が原因なのではない。家族が原因なのではない。それらだけではなく、私の内なる外が原因なのだ。だから内観を必要とする。ロバート・フリップが後年ゲオルギイ・グルージエフに傾倒する。グルージエフの弟子であるジョン・ベネットに傾倒する。強迫神経症的なオカルティズムに引かれたロバート・フリップは、ベネットのアカデミーに参加した。そしてそのあと、オカルトから離反する。むろんある種の精神性は学んだ。「私にとって新たな人生のスタート地点でもあった[4]」

環境から内観へ、そして身体へとロバート・フリップの考察対象は変遷していく。アレクサンダー・テクニークを取り入れたギター奏法、クロマティック奏法などを多様に取り入れていく。最小限の動きで最大限の力を発揮する。オルダス・ハクスリーが著した『知覚の扉』（一九五四年）がアレクサンダー・テクニークとの出会いのあとに生まれたように、ロバート・フリップもまた、ギター・クラフトを展開していく。彼はまた即興を重んじる。自らの限られた身体を用い、その主体性を最大限に発揮することが彼のギター・クラフトのモチーフである。ヴァルター・ベンヤミンの言葉を借りよう。「歴史的唯物論にとっては、危機の瞬間において歴史的主体に思いがけず立ち現われてくる、そのような過去のイメージを確保することこそが重要なのだ」[5]。思いがけず立ち現れてくるもの、それが解放者だ。歴史を解放する。身体を解放する。ベンヤミンは同じ「歴史の概念について」のなかで、パウル・クレーの『新しい天使』の絵について述べている。ここには風が描かれている。嵐が描かれている。

それ〔『新しい天使』〕にはひとりの天使が描かれていて、この天使はじっと見詰めている何かから、いままさに遠ざかろうとしているかに見える。その眼は大きく見開かれ、口はあき、そして翼は拡げられている。歴史の天使はこのような姿をしているにちがいない。彼は顔を過去の方に向けている。私たちの眼には出来事の連鎖が立ち現われてくるところに、彼はただひとつ、破局だけを見るのだ。その破局はひっきりなしに瓦礫のうえに瓦礫を積み重ねて、それを彼の足元に投げつけている。きっと彼は、なろうことならそこにとどまり、死者たちを目覚めさせ、破壊されたものを寄せ集めてつなぎ合わせたいのだろう。ところが楽園から嵐が吹きつけていて、それが彼の翼にはらまれ、あまりの激しさに天使はもはや翼を閉じることができない。この嵐が彼を、背に向けている未来の方へ引き留めがたく押し流してゆき、その間にも彼の眼前では、瓦礫の山が積み上がって天にも届かんばかりである。私たちが進歩と呼んでいるもの、それがこの嵐なのだ[6]。

風に語りかけようが、風からの応答はない。ただひたすら風が吹く。嵐が吹く。引き裂かれていく心象こそ歴史なのだ。環境と内観、そして身体、いずれも歴史のなかの特異点としての主体がいかに解放の道を探るかに賭けるだけなのだ。そしていやが応でも目の前には破局が立ちはだかる。それはベトナムだけではない。いまの日本にも、パレスチナにも、ロジャヴァにも、チアパスにも。死者たちの風が残響する。

エピタフ

墓には何が刻まれるのだろうか。一九六九年に予見されていた未来がいま眼前にある。私たちが、二十二世紀の精神異常者について書き記すことは、沈黙への近道になるだろうか。

一九六九年、水俣。石牟礼道子は『苦海浄土』を書き上げる。主語なき主体の世界文学。

海の底の景色も陸(おか)の上とおんなじに、春も秋も夏も冬もあっとばい。うちゃ、きっと海の底には龍宮のあるとおもうとる。夢んごてうつくしかもね。海に飽くちゅうこた、決してなかりよった。(略)

自分の体に二本の足がちゃんとついて、その二本の足でちゃんと体を支えて踏んばって立って、自分の体に二本の腕のついとって、その自分の腕で櫓を漕いで、あをさをとりに行こうごたるばい。うちゃ泣こうごたる。もういっぺん――行こうごたる、海に。[7]

声なき声が立ち上がる。主語はない。近代文学ではない。しかし、それが近代的な啓蒙によって逆説的に実現する。常に登場する語「ごたる」。ような、ような、ような。存在の類比、神の似姿。私たちは、実はアナロジーが言葉の本性であることを知っていたはずだ。しかしながら、気づけば論理的にすべてを片付けなくてはならなくなっている。こうした言葉が書き記されてもなお、放射性物質がまき散らされる。「テクノロジー的手段の増殖にともない、過去の道徳観に従ったチェックがなされていないこと」、そして「暗い未来の展望」(8)が表現されている。一九六九年に私たちは一度死んだのである。そしていまだかつて蘇生していない。権力が、戦争が、資本主義がむしろ回転しつづけている。この偽の回転を一度、鎮めるべきではないだろうか。キング・クリムゾンは一度、錯乱という墓碑銘を掘って私たちの魂をいさめている。しかし、そのあとにやってきた現在は、いまだに荒廃が広がり、明日に怯えて私たちは這っている。

ムーン・チャイルド

一九六九年、七月。アポロ11号が月に着陸する。具体と内観の生を探求するべき人間の軌道修正がきかなくなる。そもそもが、ソ連とアメリカとのファルスの見せ合いなのだ。しかしエレクトしたモノそのものを愛でる者がいなければ、発射後のプロラクチンの作用によって、擬似的な悟りが待っているだけだ。欲望は遅延していくだけであり、そこには消費、消費、消費の世界が待ち受けている。私たちはそうした月世界旅行の夢を強制的に見せられていく。「ムーン・チャイルド」では、それでもなお、地面にへばりつき、花を摘み、いまだアナログ以下の日時計によって時の刻みを確認する。月に憑かれた狂気であるかのような描かれ方をしながら。錯乱を描いた「エピタフ」

のあとに見られる世界では、サン・チャイルドのほほ笑みを待つ。竹中労はたまの面々と語りながらこう述べている。

竹中　ヒトはサルから進化して、文明人になる手前で止まっていれば、幸福だったんだろうね（笑い）[9]。

「さよなら人類」の有名なサビがある。「今日　人類がはじめて　木星についたよ　ピテカントロプスになる日も　近づいたんだよ」。月面に着陸すると同時に、私たちは科学と資本主義によって殺し・殺されるものになる。永山則夫が一九六八年に連続射殺魔として現れ、足立正生が永山不在のままその彼を映し出す。ゴダールのジガ・ヴェルトフ集団よりも早い時期に彼らはスタジオの外に出る。ミシェル・フーコーが生権力を編み出す前に、松田政男は風景論を描く。しかしながら、彼らを生み出したこの地では、東アジア資本主義体制が驀進していく。沖縄に矛盾を押し付けながら。その隣の半島でも革命と反革命、そして蜂起が常に生じ、済州島に矛盾が押し付けられていく。パレスチナでの残虐行為を、アメリカ軍大佐は済州島の四・三事件と同じ年に実行していく[10]。ユーラシア大陸の西と東で、資本主義体制とそれに伴う戦時体制が熾烈なまでに激化する。東から西へと、足立正生は飛ぶ。ＩＳ（イスラム国）による錯乱は思弁の極北だろう。いまだ謎に包まれている四・三事件を語りながら、許榮善はこう語る。

狂気の時代は何よりも人々の身体と心に後遺症を残した。四・三は死者だけでなく、虐殺の現場を生き抜いた人や遺族、そしてそれを直接もしくは間接的に経験した社会全体におびただしい後遺症を残したのだ。精神的な傷はその人が死ぬ日まで、骨の髄まで食い込む記憶との闘いを強いる。それは夢路にもついてきて苦しめる(11)。

そして、現在にあってもなお、私たちはボロボロになりながら、サン・チャイルドのほほ笑みを待ち続けているムーン・チャイルド。

月に憑かれた私たちは、狂気のうごめきのなかでエピタフを見つめているのだ。

クリムゾン・キングの宮殿

音楽の父ピタゴラス。彼は魂の蘇生を説く。魂はイデアを通じて、再びこの世に降り立つ。この過程は数学的解析によって現世の人間にあらわになる。すべては数である。魂が現世で実現するためには数と密接に結び付いた音が不可欠だ。1、2、3、4。エリック・タムはこう述べている。

音楽のもっとも基礎となるオクターブは、数字の中でもっとも基本的な関係である一対二で表される（振動する弦の半分の長さ）。完全な第五音は二対三の割合となり（振動する弦の二／三の長さ）、そして原型的ともいえる三対四の比率は音楽的に完全な第四音ということになる。第五音から第四音を引くと全音になるわけだ（ギターと巻き尺を持っている人なら、誰でもピタゴラスの画期的実験を疑似体験してみることができる。ちなみにその先は四対五がメジャーの第三音、五対六と六対七はマイナーの第三音の一種、そして第二音ができる。フランスの作曲家ジャン・フィリップ・ラモーが、ピタゴラスの音程の比率は振動する物体の和音と一致するという法則を発見したのは、そのずっと後の十八世紀初めのことであった[12]。

人間はこの数を理解することはできても、それを生きることはできない。生き抜くことはできない。永遠ではない。数とともに音を探求することは、私たちが、わずかでも永遠を手に入れることなのだ。だから音楽は残響しつづける。幽霊のように徘徊しつづける。ロバート・フリップが探求する音。彼がピタゴラスをしばしば参照することからわかるように、彼はそこに永遠の生を見いだそうとしている。永遠の魂をつかみ取ろうとしている。だからキング・クリムゾンは私たちの耳で鳴り続ける。エリック・タムは続けてこうも述べている。

私は大袈裟に、フリップはピタゴラスの生まれ変わりだとは言わない。しかし、広い意味ではギター・クラフトとピタゴラス主義のあいだには、はっきりとした類似点が見られる。例えば行動を起こすための哲学、生活のための哲学、絶対的なものとしての音楽と数学、客観的に存在する真実、書き残された（またはレコーディングされた）媒体への不信感、道徳的に善良であることの重要さ、秘密と禁欲的生活環境、宗教的な感情を正確に表現できる方法、手段を創る、独自なアイディアと伝統的な面とを結びつける――それはオルフェスの謎やギリシャ神話、グルージエフ主義、アジアやインドネシアの音楽のアプローチ方法などがそれにあてはまる。[13]

神秘的な出来事であっても、それが経験されるかぎり、それは具体的なものだ。生活だ。そこには人間がいる。人間がいてこその、思弁だ、革命だ。そしてそうした具体的な生活に身を委ねることこそ、革命を来らしめる。ロバート・フリップは、神学者ジャック・エリュの言葉を引用する。「生活のスタイルは、今日において革命的行動のもっとも肯定的な形である」。こうしたスタイルのうえで、音楽が革命を表現すると考えることができる。ロバート・フリップいわく――。

新しい音楽とはスタイルを指すのではなく、その特性を意味している。何か表現したいことがあるのに、言葉が足りないがために表現できないのを音楽で補うのは、人間的必然である。また我々が、お互いに言いたいことを表現するのは社会的必然でもある。私にとって、そういった適応性のあるロック音楽――多くのイディオムを持ち、ほとんど誰にでも利用できる音楽も、社会的必然であり宇宙的要求である。神や人類に対しても直接語りかける言葉である。そういう意味で、音楽とは沈黙という名のワインを入れる器である。[14]

私たちの具体的生とは沈黙である。魂が具現化している生活とは沈黙である。音楽もまた、それを表現する。沈黙による革命。むろん、その沈黙は決して字義どおりの沈黙ではない。いくらかまびすしく言葉を並べようと、音をかき鳴らそうと、それは沈黙に近づくことはない。しかし同時に、言葉が沈黙を表現するならば、あるいは音が沈黙を表現するならば、そのとき革命は必ず生じる。そのときの言葉や音は、時空間を一度に背負う。言葉と音が世界を近似的に表現する。革命へと向かうその刹那、キング・クリムゾンの残響が聞こえる。

注

(1) ジャン゠リュック・ゴダール『ゴダール 映画史(全)』奥村昭夫訳(ちくま学芸文庫)、筑摩書房、二〇一二年、六四一―六四二ページ
(2) エリック・タム『ロバート・フリップ――キング・クリムゾンからギター・クラフトまで』塚田千春訳、宝島社、一九九三年、五五ページ
(3) R・D・レイン『ひき裂かれた自己――分裂病と分裂病質の実存的研究』阪本健二/志貴春彦/笠原嘉訳、みすず書房、一九七一年、一一八ページ
(4) 前掲『ロバート・フリップ』一三三ページ
(5) ヴァルター・ベンヤミン「歴史の概念について」『ベンヤミン・コレクション1 近代の意味』浅井健二郎編訳、久保哲司訳(ちくま学芸文庫)、筑摩書房、一九九五年、六四九ページ
(6) 同書六五三ページ
(7) 石牟礼道子『石牟礼道子全集 不知火』第二巻、藤原書店、二〇〇四年、一二三ページ
(8) 前掲『ロバート・フリップ』六二ページ
(9) 竹中労『「たま」の本』小学館、一九九〇年、一九三ページ

（10）例えば、許榮善『語り継ぐ済州島四・三事件』（村上尚子訳〔新幹社選書〕、新幹社、二〇一四年）を参照されたい。
（11）同書一二六ページ
（12）前掲『ロバート・フリップ』二六五―二六六ページ
（13）同書二六七ページ
（14）同書一六四ページ

5

「少しづつ身体は死んでく」——ceroにまつわる思い出話

はじめに

私はいつも小難しいことを書いている。あるいは、暴動が起きればいいのにと思っているし、革命が起きればいいのにと思っている。あるいは九州の田舎でRobert Glasperを聴いて車を運転している。講義中に頭のなかで、ceroの曲が流れたりする（「サマソー、サマソー、イエー　エエッエッエッエッエッエ」）。筋トレとボクシングと登山で汗を流している。暴動が起こったときに、ストリートファイトしたいと思っている。子どもとスケボーする。畑を耕す。そう、淡々と日常を過ごしている。

ceroの音楽は、多摩・武蔵野の音楽だと思っている。少なくとも、山手線の内部ではないし、いわんや東京の東側でもない。栗原康が長渕剛を愛するように（?）、私はフィッシュマンズを愛する。しかしながら、フィッシュマンズは残念ながら、東京の西側ではない。佐藤伸治は東側出身だ。河の大きさが違う。東京を流れる利根川系の河は、でかい。それに対して私たちが見てきた多摩川は、それもちょうど中流域のそれは、それなり、の大きさだ。cero の音楽には、それなり、を感じる。別段、罵倒でもないし、褒めているわけでもない。ちょうどいいのだ。cero の音楽には、郊外で生活する日々の淡々とした自分たち自身、あるいはその日々のなかで少しだけドキドキする感覚がある。せっかくなので、私しか書けない話を少し書こうと思う。

思い出話

cero の面々と出会ったのはいつだったか覚えていない。ぼんやりとはしているが、記憶をたどってみたい。荒内佑と柳智之は私が通っていた三鷹高校の後輩で、同じ軽音部だった。私は私で音楽をやっていて、府中にあったフライトというライブハウスでイベントを企画してみたり、ブッキングのライブに出演してみたり、ほかにも国分寺や八王子のライブハウスなどで、へたくそなりに音楽を奏でていた。大学生になると府中や国分寺からちょっと背伸びして（?）、吉祥寺や高円寺、下北沢でやるようにはなっていた。いずれにせよ、山手線よりも西側の多摩・武蔵野が生息地だった。

あるとき、イベントをやる際に、どうせならほかの同世代の連中と一緒にやりたいと思っていた。仲間を求めていた。神代高校に、いまはＮＲＱというバンドで二胡を弾いている吉田悠樹がいた。彼は当時から天才だった。ファストコア（?）バンドをやっていた。大泉逸郎の「孫」という演歌が大ヒットしたその年に、大泉逸郎に対抗（?）して、「孫」という曲を作っていた（歌詞は次のようなものだ。「俺の孫なのか／君は孫なのか／フ〜ワッタリラリ／フ〜ワタリラリ／フ〜ワッタリラリラ〜ン／三十三で俺の孫を産みたい／三十三で俺も孫を産みたい／俺と　や　や　や　や　山へ行こう」。天才だ）。同じ神代高校では、私の親友である潮田雄一（うっしー）もいた。うっしーとは、別のバンドでスタジオの入れ替わりで出会った。私たちがスタジオに入ると、彼の忘れ物があった。それを取りにうっしーがスタジオに入ってきたのだが、その刹那、彼のズボンのチャックが開いていたのを確認した。ちょうど私はしゃがんでいたので、彼の股間が私の眼前に迫っていた。当然のようにそれから仲良くなった。いまも東京に帰ると、彼とは必ず会う。ちなみに、うっしーのバンドには、ミイラズというバンドに在籍している中島ケイゾーがいた。ケイゾーは私と同じ高校で同級生。三年間同じクラスだった。当時は大変シャイな毛むくじゃらだった。プールの際、彼のすね毛をゴシゴシすると、アリのようなダマができて、それを引っこ抜いて遊んだ。彼は当然のように痛がっていた。昼休み、学校を出てタバコでも吸いにいこうやと誘っても、彼はおどおどしてめったにこなかった。何度か私のバンドでもベースを弾いてもらったこともあった。

そんなこんなのある日、神代高校の生徒がフライトでイベントをやるという情報を耳にした。私一人で、どんなもんかとスパイ（？）活動にいそしんだ。吉田のバンドもあれば、高城晶平のバンドも演奏していた。高城のバンド名は確か「コーヒー・フィルター」だった気がする。ネーミングセンスに、ちょっと片岡義男臭がした（ダサいといっているわけではない。ただ褒めてはない）。そのときだったか、高城と話したときに、フリッパーズと、はっぴいえんどが好きだ、というような会話をしたのを覚えている。私もはっぴいえんどが好きだったので、後日、ゆっくり会おうと約束した。

で、荒内と柳だ。彼らは彼らで「珈琲家族」というバンドをやっていた。高校時代、私たちはあらゆる喫茶店に入り浸って、ダラダラしていた。メインは、府中のドトール、あるいはつつじヶ丘のシャノアール、ときに吉祥寺の珈琲家族、ときに府中のマロコなど。おそらく珈琲家族は吉祥寺の喫茶店名からとったはずだ。というか、私が命名した気もする。喫茶店に入り浸って、知恵を出し合う、交換する、あるいはダラダラする。とはいえ、私は荒内らとよりも、ほかの友人たちと常に時間の多くを過ごしていた。固有名を挙げてもみなさんがご存じかどうかはわからないが、少し列挙する。前里慎太郎、尾林星、猪俣東吾（現在は大袈裟太郎名義で活動）などの面々だ。彼らと、イベントの企画をどうするか、映画を撮ろうと企んだり、あるいは高校を辞めてインドに行ったあいつが悟って帰ってきたらしいよ、あいつ原付きバイクで警察をまいたらしいよなどなどの会話が繰り広げられていた。そうしたなかでいつも話題の中心は音楽、映画、小説だ。聴く音楽の領域はそんなに広くはない。「スヌーザー」（リトルモア）や「スタジオ・ボイス」（流行通信）の音楽特集、あるいは「クイック・ジャパン」（太田出版）などが情報源だった。

荒内が、兄の影響だったか家族の影響だったかで、坂本龍一が好きだということを聞いていた。バンドもやり直したいとも言っていた。そうこうしているなか、高城もまたバンドを組み直したいようなことを言っていた。だったら先輩らしく（?）、この両者を会わせようと思い至った。おそらく二〇〇二年の夏だ。〇一年の九月に私は友人を亡くして、やさぐれていた。ともすれば、人に言えないようなことをしてヘラヘラしていたり、部屋に引きこもって映画ばかり見ていたりした。

そんな時期も一年弱が経過し、やさぐれからだいぶ立ち直りつつあったころだった。一応、浪人生。受験勉強もせず、喫茶店でダラダラしたり、夜な夜な友人たちと遊んだりしていた。

荒内と髙城に話題を戻す。荒内の実家がある国立で会おう、ということになった。髙城と私が国立駅前（駅舎が懐かしい！）で待っていると荒内がやってきて、三人で彼の実家に行った。そのときの会話の詳細は覚えてない。しかしめいめい持ち寄ったCDの試聴大会をした。私はフィッシュマンズ、髙城は細野晴臣、荒内は坂本龍一だったはず。おそらく、このときに、私が髙橋幸宏でも持ってきていたらYMOが結成されていたのかもしれないが、事実はそうではない。いずれにせよ、このときに cero の原型ができたといえる。カクバリズムの社長と cero ファンの方々は私にもっと感謝したほうがいい。感謝の意を伝えたかったら拙著を買うしかない。買わないと不幸になります。

そうこうしていると、私たちは大学生になっていた。そのころ私は、ダブやレゲエ、improvised music from japan 周辺のミュージシャンやフリー・ジャズ、ノイズを聴くようになっていた。話が合う友人が当然のようにできなかったが、代々木の offsite に行ってみたり、渋谷の uplink に行ってみたり、六本木の superdeluxe に行ってみたり、多摩・武蔵野から少しだけ行動範囲が広がった。私たちのバンドと cero はよく共演していた。私たちのやっていたバンドはメンバーが流動的で、ときに cero の面々にバックで演奏してもらったりしていた。一方で、私自身は、音楽よりも哲学・思想を勉強することにのめり込み始めていた。

そのころ、たまたま国分寺で私たちがやったライブを聴いたという武蔵野美術大学の学生から連絡がきた。武蔵美の学祭に出てくれという打診だった。その後その学生らに会い、その界隈に

VIDEOTAPEMUSICの間部功夫くんがいた。いろいろ話していたら、どうも音楽の趣味が合うような気がした。ヒップホップも好きだし、インプロも好き。当時中途半端にラップをしていた私は彼と気が合った。なので、私たちのバンドに誘って、一緒に活動することになる。ただ、二〇〇七年に私は東京を去った。東京がいやでいやでたまらなくなってしまった。その後日本を去りパリに行き、福岡に行き、現在は長崎にいる。プロレタリアートに故郷はない。私が東京を去ったあとのceroの面々の具体的な活動は一切知らない。なんとなく、素晴らしい音楽を演奏しつづけている、ということを側聞はしていた。そう、疎遠になっていたのだ。その間、間部くんはceroの面々と仲良くなっていったようで、気づけば、VIDEOTAPEMUSICはceroと活動するようになっていた。うっしーと間部くんも一緒に演奏したりしているようだ。そう、だから実をいうと、〇七年以降、友人たちが何をしていたのかはほとんど知らない。東京の様子も帰るたびに異なるので、常に驚かされる（東京だけ、異常にスイーツがおいしい気がする。暴動が生じないとおかしいだろうと思うことばかりだが、きっとスイーツの糖分で抑え付けられているのではないかという気がする。私のスイーツ理論。これに加え、平田周さんというアンリ・ルフェーブル研究者いわく、喫煙所がなくなっていったことと、日本が悪くなっていったことには相関関係があるのでは、という平田予想もある。すみません。どうでもいいですね）。

若干の分析

「outdoors」

それはそうと、私たちは淡々と日々を生きる。そうした日々の暮らしのなかには、絶望が入り交じる。その絶望は何か特別なものではなく、それそのものが私たちの生活の一部なのだ。生のあり方なのだ。初期の代表曲ともいえる「outdoors」を引く。

誰かを懐かしむほども生きていないのに
少しづつ身体は　死んでく

生きているかぎり、死に向かう。当然のことだ。この曲が演奏されていたのは二〇〇七年以前からだった。当時はまだ私も彼らも二十代。この文章の初出も三十代。いまは中年真っ盛りの四十代。何かを懐かしむほどの年齢でもない。とはいえ、すでに懐かしい十代・二十代の記憶を先に書いた。しかし、これも何か特別なことではない。ceroは、いまとなっては広く若い人々に聴かれる音楽家集団になったようだが、それも別段特別なことではない。私とて哲学・思想史を研究しているが特別なことではない。かといってシニカルな状態に陥っているわけでもない。ただ淡々と絶望しながら、生きている。希望したとしても、何かあるかもしれない場所を希求したとしても、多摩・武蔵野に住んでいた私たちにとって、しょせん最大の都会は吉祥寺だ。代官山など行ったこともなかった（少なくとも私は）。吉祥寺に行ったところで、何が起こるわけでもない。高校生ができることなどたかが知れている。大学生ができることなどたかが知れている。いまに至ってもなお、大したことなどできはしない。せいぜい、パリで火炎瓶を投げたとか、その程度だ。ローザンヌで資料収集しているときに、休み時間中にレマン湖で泳いでいたらビール瓶で足を切って血まみれになるくらいだ。こういうとき、フィッシュマンズの「IN THE FLIGHT」を思い出す。

ドアの外で思ったんだ　あと十年たったら
なんでもできそうな気がするって
でもやっぱりそんなのウソさ
やっぱり何も出来ないよ
僕はいつまでも何も出来ないだろう

いずれにせよ、東京の郊外に住む者の絶望がちらつく。

もう一点、高城の世界観には確実に宮沢賢治の影響があるのはよく知られたことのようだが、指摘しておく。「outdoors」に関して、月並みではあるが、宮沢賢治の『春と修羅』収録の「青森挽歌」を重ねて聴くと大変楽しくなる。

こんなやみよののはらのなかをゆくときは

客車のまどはみんな水族館の窓になる
(乾いたでんしんばしらの列が
せはしく遷つてゐるらしい
きしやは銀河系の玲瓏レンズ
巨きな水素のりんごのなかをかけてゐる)
りんごのなかをはしつてゐる
けれどもここはいつたいどこの停車場だ(1)

いまいる地点から外の世界を眺めるとき、その世界は突然水族館になる。「outdoors」では電車に乗っているわけではないものの、「透明なテント」からの景色を音で切り取る(「サウンドスケープする さよならの汽笛」)。そしてそのまま空想の世界へと紛れ込む。

あるいは、「銀河鉄道の夜」を重ねて聴くことができるだろう。「銀河鉄道の夜」は、賢治の亡くなった妹への悲しみが表現されている。あの世へと向かう鉄道に乗り、一人、二人と乗客が降りていく。「少しづつ身体は死んでく」のだ。そしていずれ私たちは、現世で出会えなくなった家族や友人たちと出会うのかもしれないし、やはり、そうではないのかもしれない。当時もいまも、「outdoors」は私が好きな名曲だ。

「Summer Soul」

「少しづつ死んでく」からには、私たちは絶望しながら、少しずつあの世へと向かう。そのときの半ば幻想的な現実。夏の日の気だるさ。しかし冷房で冷える車のなか。これは荒内が骨子を作った曲だろうか。想像の域は出ないが、「大学通り」が歌われていることを理由にそう捉えてみる。移動の曲だ。しかも「郊外」から「東京」へと向かう曲だ。夕方ごろ車で国立を出て、ダラダラ道に迷いながら（?）、「東京」の中心地に夜の帳が下りるころ到着していくという、これまた淡々とした記述である。しかしこれは郊外の人間ならば経験したことがある、移動の流れだろう。ひどくよくわかる。共感しかできない。このときの「東京」とは、もしかしたら幻想のそれかもしれない。そう、彼らは確かに東京に住まうが、「東京」には住んでいない。いつまでたっても、「東京」に到着することなどできないかもしれない。谷川雁が「東京へゆくな　ふるさとを作れ」といったときの「東京」とは、なんだろうか。キャピタル・ゲットーとしてのそれなのか、ただの地名なのか、あるいはやはりありもしないくせになにがしかの求心力をもってしまう虚構なのか。いずれにせよ、多摩・武蔵野から「東京」は遠いのだ。

曲に戻る。そう、終盤で一瞬、マーヴィン・ゲイが出てくる。What's Going on. 恥ずかしいけど、歌ってみたくなっちゃう、あのワンフレーズだ。好きすぎる、この曲。客観視できない。どうしよう。共感しかできないので、ここで分析は終わり。以上。

おわりに

実は、cero で好きな曲はこの二曲くらいなのだが（もっとぶっちゃけてしまうが、最近まで cero をちゃんと聴いたことがなかった、ごめん！）、二〇一七年の三月、私は高城がスタッフを務めるカフェバーRojiで二木信とトークイベントをおこなった。高城が店をまわし、うっしーも演奏してくれたし、間部くんもＤＪしてくれた。そう、拙著の『アナキズム入門』（〔ちくま新書〕、筑摩書房、二〇一七年）の刊行を記念してくれたのだ。

　アナキズムとはなんだろうか。鶴見俊輔がこういっている。「アナキズムは、権力による強制なしに人間がたがいに助けあって生きてゆくことを理想とする思想」だ。私は当時、たまたま福岡の田舎に住んでいた。その際、低収入の私でも生きていける土壌があった。畑を貸してくれる友人がいた。あるいはとれた野菜をくれる友人がいた。米をくれる友人がいた。壁の漆喰を一緒に塗ってくれる友人がいた。抜けた床を一緒に張り替えてくれる友人がいた。かわりに、私なりに礼をする。一緒に知恵を出し合う、交換する、あるいはダラダラする。こんな言葉もある。「各人はその能力に応じて、各人にはその必要に応じて」[2]。私たちは相互扶助（ピョートル・クロポトキン）の精神をもって生きる。そうでなければ生きていけない。とはいえ、やりたくないことはやりたくない。わがままに暮らしていった結果、助け合って生きる道を選んだ。アナキストとは、そういった人たちだし、そうでありつづける。

　こうした話をしていたら、高城らのRojiもそうした実践であるということに気づいた。福岡だろうが東京だろうが、好きなことをして生きていきたいならば、私たちは相互扶助なしでは生きていけない。Rojiではミュージシャンたちがバイトし、そこで夜な夜な集まり知恵を出し合う、交換する、あるいはダラダラする。最近これ聴いてるだの、ミックスのやり方だの、友人の小話だの、あるいは誰それの子どもが生まれただの、共謀したりしなかったり。

私たちは十代を過ぎ、二十代を過ぎ、そして三十代四十代になった。聴く音楽もあまり変わっていない気もするし（フィッシュマンズはいまでも聴く）、やはり変わった気もする（正直いうと、日本の音楽は二木信に勧められるヒップホップ以外は聴いておらず、基本的にはブラック・ミュージックかノイズが脳内でぐるぐる回転している）が、友人たちと知恵を出し合い、交換し、あるいはダラダラするのは、そう変わっていない。アナキズムをそのまま生き続けてきたのかもしれないし、これからもおそらくそうなのかもしれないし、そうじゃないかもしれない。そして依然として、私たちがいる場所から「東京」の中心地は遠く、それなりの移動なしにそこへ向かうことはできない。私たちはこんな日常を淡々と送りながら、「少しづつ身体は死んでく」のだ。

後日談がある。九州に来るたびにたまに会っていた間部くんことVIDEOTAPEMUSICだが、彼が長崎にうっしーとライブをしにやってきた。ギター弾いてよと打診されて、私はおそらく十数年ぶりに人前でギターを弾いた。久々に弾いたら楽しくなってしまい、東京でもライブがしたくなった。そこで、かつて間部くんらと東京の西側で一緒にやっていた微炭酸というバンドで演奏をしようということになった。拙著『もう革命しかないもんね』（晶文社、二〇二一年）をリリースした際に、国立の地球屋で刊行記念パーティーをすることになった。荒内と私がトークし、前里慎太郎がやっているニューグリフィンズ、吉田悠樹らがやっているNRQ、そして微炭酸でライブをした。少しずつ体は死んでいき、できることも記憶もなくなっていく。相変わらず、私たちは淡々と生きている。

注

(1) 宮沢賢治『宮沢賢治全集』第一巻(ちくま文庫)、筑摩書房、一九八六年、一七四ページ

(2) 鶴見俊輔、黒川創編『身ぶりとしての抵抗』(「鶴見俊輔コレクション」2、河出文庫)、河出書房新社、二〇一二年、一七ページ

6 土と音楽

はじめに

抵抗の音楽として私たちを奮い立たせるものに、「不屈の民」（¡El pueblo unido, jamás será vencido!）がある。直訳すると、団結した民衆は決して負けることはねぇ、というタイトルで、日本語訳のセンスが光っていると思う。この曲はチリのサルバドール・アジェンデ支持の際に歌われるようになり、スペイン語という特性から南米で広がり、そして世界中に広まっていった。私が初めて聴いたのは、学部生のころに、シカラムータがいまは亡き法政大学の学館で演奏しているのを聴いて、というか聴くよりも踊り狂っていた。その前後でシカラムータの大熊ワタルも関わっていた『音の力』（インパクト出版会、一九九五年）界隈の人々の音楽を聴くようになり、抵抗の音楽を知るようになった。思い出話かよ、と思われるかもしれないけれども、このころ「スタジオ・ボイス」という雑誌をよく読んでいて、頻繁に音楽特集が組まれていた。カルチュラル・スタディーズを知ったのもこの雑誌からだった。酒井隆史によるブラック・ミュージックと抵抗、上野俊哉や野田勉によるテクノと抵抗、平井玄によるジャズと抵抗など、音楽と抵抗は私のなかですぐさま密接に結び付くようになった。

フランスに留学していたときに、デモでよく流れる曲があった。一つはHK & Les Saltimbanksの「On lâche rien」ともう一つはKeny Arkanaの「La Rage」だ。前者は「諦めない」、後者は「怒り」という意味、というかタイトルである。「不屈の民」みたくかっこよく翻訳したいが、私には無理そうだ。前者は、アルジェリア系移民の歌でもあり、移民がフランスで置かれた状況からくる怒りや悲しみが満ちている。とはいえ、ノリノリで踊れる曲だ。後者もまたそうだが、より普遍的にひたすら国家や警察、現状への怒りが歌われている。例えばリリックはこんな感じだ。「遺伝子組み換え作物の畑が地球を滅菌しているからだ」。遺伝子組み換え作物や農薬のせいで地球環境も脅かされているといったように、移民の問題だけでなく、地球や土壌に関する問題も提起されている。最後もこんな感じであおってくれる。「不服従であれ、賢明であれ、周縁的であれ、ヒューマニストであれ、反抗的であれ」

土壌を考える

さて、私に与えられた宿題は、「土と音楽」である。抵抗をそこに合わせて検討するならば、いくつか思い浮かぶ音楽がある。

モンサントという会社をご存じだろうか。遺伝子組み換え作物の種を生産している、アメリカ合衆国に拠点を置く会社だ。驚くべきことに世界シェアの八〇パーセント以上がこの会社なのだ。独占企業で悪いということだけでなく、遺伝子組み換え作物の人体への影響が医学的にも明らかになりつつあるという点もかなり悪辣だ。ほかにも、日本でも「ラウンドアップ」という名前で販売している除草剤もモンサント社が開発した代物だ。主要成分のグリホサートの発がん性はきわめて高いにもかかわらず、多くの農家で使われている。モンサントがヤベェのは、このラウンドアップで余計な雑草は殺しながら、自社開発の種から発芽する品種には効かないものを遺伝子組み換えで作っているところだ。ラウンドアップも種も売り捌いて、多くの民衆を発がんさせて、世界シェアのほとんどを担うという恐ろしい魂胆があるのだ。

こうしたモンサントをディスる曲で、なかでも世界的に有名なのは、ニール・ヤングの「A Rock Star Backs A Coffee Shop」という曲で、スターバックスをも合わせて批判している。ほかにもモンサントをネタにした抵抗の歌は実はかなりある。それこそオーガニックなサウンドもあれば、ハードコアなサウンドもあり、裾野がかなり広い。私たちの生存に密接に結び付くがゆえに、きわめて深刻な問題系である。「An Ode to Monsanto」という曲では「癌なんかになりたくねぇ」とサビでオーガニックに歌い上げる。アコースティック・ギターにパーカッション、あとはクラップと歌というシンプルな構成だが、土壌の問題や水の問題を高らかに歌い上げている。「Fuera Monsanto-Perro Verde」では、レッチリなんかを彷彿とさせるようなサウンドで、MV（ミュージックビデオ）冒頭から、Nooooooooooooooo! と叫び、かなりかっこいい。こちらは「出てけ、モンサント」で、「YouTube」で検索をかけると、日本語訳のリリック付きのMVがある（一応、ここでは、ほとんど「YouTube」にもある音源ばかり紹介しているので、よかったら検索してみてね〜)。このMVの解説にもあるように、アルゼンチンでは年に八千万ガロン、リットルに換算するとおよそ三億リットルを超える農薬が使われていて、それに危機感を覚えた多くの抵抗者たちは会社や警察と対峙するものの、日々、警察は抵抗者を引きずり回して暴力を振るい、刑務所にぶち込んでいることにひたすら怒っている曲だ。もっとハードコアな曲がお好みであれば、Strange Birds of Feather の「My Monsanto」もかっこいい。曲の重さに比例するようにモンサントが生産する食糧の危険性を訴えている。

ロジャヴァ革命

土と音楽、それに抵抗を加味した音楽はこのように同時代にあふれている。ここでちょっと視点を変えて厳密な意味での土というよりも土地、それもある地域の抵抗の音楽を紹介したい。申し遅れているかもしれないが、私はアナキズムを研究している。近年、アナキズムを理論的な背景にしながら自治を獲得している革命がある。それがロジャヴァ革命だ。

クルド、あるいはクルディスタンという言葉をご存じだろうか。昨今の日本だと、入国管理の問題でクルド系移民が日本で差別の憂き目にあっていることを側聞している人はいるかもしれない。クルド人と呼ばれる人々は全世界に三千万人から四千万人いて、国家をもたない最大の民族と呼ばれている。クルド人が住まう土地をクルディスタンといい、その地域はトルコ、シリア、イラク、イランにまたがっている。これらの国々の国境地域に住まう人々であり、ヨーロッパで百五十万人から二百万人、特にドイツには五十万人もの人々が暮らす。日本にも二、三千人が暮らしているといわれている。これだけの人口を有していても、各国ではマイノリティであり、差別を受け、虐殺もされてきた。こうしたなか、シリアの北部に多く住むクルド系住民がアナキズムに影響を受け、国家の独立ではなく、自治を獲得している運動がある。それがロジャヴァ革命だ。詳しい説明は拙著『死なないための暴力論』でしているので読んでいただきたいが、目下日本語で読める書籍としては、ミヒャエル・クナップ、アーニャ・フラッハ、エルジャン・アイボーア『女たちの中東 ロジャヴァの革命――民主的自治とジェンダーの平等』（山梨彰訳、青土社、二〇二〇年）なんかが詳しい(1)。

常に殺されてきたクルド人たちは、当初は国家の独立を掲げ、アブドゥラー・オジャラン率いるPKK（クルド労働者党）による武装蜂起で一九八〇年代から戦いをおこなってきた。トルコ軍は彼らや罪もないクルド人たちを殺した。シリアのアサド軍もそうだった。そこにISも加わり、クルド系住民は常に虐げられてきた。九〇年代からオジャランらは議論に議論を重ね、国家の独立よりも各地域の自治を求め、そして女性の活躍を中心に徹底した民主主義が採用されるようになった。実は二〇二〇年と二三年にハンブルクに行って私が発表してきたり調査をおこなってきたのは、このロジャヴァ革命についてであった。新型コロナウイルス感染拡大で間があいてしまったが、引き続きこのネタは追っていく。それはともかく、クルディスタンはクルド人だけが住まうわけではなく、多民族が暮らす地域でもある。アラブ系の人たちもいれば、アッシリア系、トルクメン系の人々などがいて、各国にまたがるクルド地域の連合を求め、連合主義という考え方を採用した。そして女性差別が著しいこの中東地域で女性が活躍できるよう、政治的な場で必ず四〇パーセント以上の女性がいなければならない規約を定めた。オジャランは、アメリカ合衆国のアナキストであるマレイ・ブクチンの理論（各地域の自治とその連帯という連合主義）を採用し、クルドの歴史から家父長制ではなく母権性が発達していた事実を盛り込み、革命を起こした。現在オジャランは、トルコ政府によって逮捕され、トルコの孤島の刑務所に収監されている。

防御という観点でだけ武装し、ＩＳの軍隊をほとんど撃退させた。女性部隊も存在し、これがめっぽう強い。私とて反戦だが、ここで武器を持たなければ、ひたすら蹂躙され殺されてしまう現状に対して、武器を持つな、などとはゆめゆめ言えることではない。もちろん、やたらめったら殺戮をするのではなく、一般市民は絶対に標的にせず、政府施設や軍の施設を狙うだけ。また、攻撃を仕掛けてくるＩＳあるいはトルコ軍とは対峙するが、基本的には殺すことなく、手や足を狙撃し、ロジャヴァでの収監後も、徹底した話し合いをおこなう。民主主義が世界で最も進んでいるのがロジャヴァ革命である。

実際にロジャヴァでは、ボトムアップの民主主義が実現している。いちばん小さい自治単位は「コミューン」(commune) と呼ばれ、十五人から三十人ほどのアッセンブリーがある。そのうえで、「地区」(neighborhood) が七から三十ほどのコミューンによって構成される。この規模で「人民の家」が運営され、そこではなんでも相談できるように二十四時間解放された空間があり、そこでアッセンブリーだけでなく、ご飯を食べたり、簡単な集会を開いたり、催し物を決めたりすることもある。さしずめ公民館のようなものだろうか。さらにこれに加えて「地域」(district) と呼ばれる一つの都市規模、あるいは村落の集合体でのアッセンブリーの集まりがあり、ここまでで話し合われたネタが西部クルディスタン人民評議会（Meclîsa Gel a Rojavayê Kurdistanê＝ＭＧＲＫ）で議論され、ロジャヴァでの決定事項が定まっていく。民主主義とは時間がかかる作業である。ともすれば妥協する作業でもある。しかしながら、その時間と妥協のなかに自分たちが話し合った議案が必ず盛り込まれることで、自治なるものが成立するのではないか。ただ、日本でこのような作業をしている場所はほとんどないのではないか。もちろん、身近な話し合いの場ではほとんど民主主義的に決められるだろうし、政治的な議論にもそういった場がないわけではない。だが、選挙という制度によってなし崩しになり、私たちとはなんら関係がないズレた仕方でしか国家レベルでは実現できない。もちろん、ＭＧＲＫの決定にすべて従うわけではない。それぞれのローカルレベルでの慣習もある。そうであるからこそ、「あらゆる権力はローカルに支持されつつも、無数のローカルな評議会間の調整に限定されている[2]」。上部の決定に対しては可塑的に受け入れて、あくまで自分たちの地域の決定をもとに生活を運営するのだ。

ロジャヴァの音楽

さて、ロジャヴァのことを説明したくてちょっと遠回りになってしまったが、そのロジャヴァの音楽を紹介したい。先にクルド人だけがロジャヴァに住まうわけではない旨は記した。そこで、多言語多民族政策をとるロジャヴァでは、音楽も面白い。一つの楽曲にクルド語で歌うもの、アラビア語で歌うもの、シリア語で歌うものなど、多言語で歌われるものもある。ロジャヴァ讃歌として面白いのがXURFANÎ（フルファーニと読む）の「Hunermendên Rojava」（ロジャヴァのアーティストという意味）やRewanê Resen（ラワーネ・レセーン）の「Hunergeha Welat」（故郷のアートという意味）なんかは、その代表的なものだ。兵士の悲哀と、故郷への愛を歌う讃歌である。もちろん、日々殺されたりしているので、特に後者のリリックや音楽のトーンには悲しさも宿っている。しかしフルファーニのほうはかなりダンサブルで、踊れる。愉快な音楽だ。

一方で悲哀に満ちながらも、それでもなお立ち上がろうとする曲に、Mahmoud Berazi（マフムード・ベラージ）の「Heftenîn」（七日目という意味）がある。日々殺されて家や城もトルコなどにぶっ壊され、毎日毎日やられている、つまり一週間毎日攻撃を受けては、どうにか生き永らえているという惨状を歌にしている。

戦わざるをえない状況に追い込まれながらも、自らを鼓舞するために歌は歌われる。しかしそれは大声で歌うものではなく、一人でささやくように歌うものだ。ドゥルーズとガタリの「リトルネロ」という概念をご存じだろうか。歌を歌うことは、自らのテリトリーを示し、領土をアレンジすることである。一人でささやくように歌うことは、自らの存在をその場所に表出せしめ、自らの実存を確認する作業でもある。そう、歌を歌うということは、生きていることを実感することなのだ。もちろん、ドゥルーズとガタリは、明示的に歌を歌うことに限定しているのではなく、小鳥のささやきや暗闇で心を落ち着かせるときの音や鼻歌などもそれにあたる。戦闘の際に、スナイパーは常に見張りながら孤独と戦わざるをえない。そこでベラージの歌は歌われているという。

抵抗の音楽は土地と結び付く。デモの際に大声でみんなで叫び踊り狂う音楽もあれば、きわめて孤独な歌もある。いずれも生存のために奏でられる音楽であり、私たちは音楽にときに仮託し、ときに同一化する。人は音楽となり、抵抗を実現する。抵抗にもリズムがある。どのリズムが最適なのかは、そのときの抵抗にも依拠するだろう。それぞれの音楽でそれぞれの抵抗を。それがここで述べたいことである。

注

（1）ちなみに、この著者のうちのアーニャとはハンブルクで会ってインタビューをするつもりが、なぜか逆にインタビューを受けることになった。その記事はこちらである。"Die Lösung für Japan sind Demokratischer Konföderalismus und Jineolojî," "ANF NEWS," 22 Juli 2023（https://anfdeutsch.com/hintergrund/die-losung-fur-japan-sind-der-demokratische-konfoderalismus-und-die-jineoloji-38337）［二〇二四年四月一日アクセス］

（2）Strangers In a Tangled Wilderness, *A Small Key Can Open a Large Door: The Rojava Revolution*, "The Anarchist Library"（https://theanarchistlibrary.org/library/strangers-in-a-tangled-wilderness-a-small-key-can-open-a-large-door）［二〇二四年四月一日アクセス］

映画篇

7 after the requiem――ジャン=リュック・ゴダールの脱構成

映像は精神の純粋な創造だ／対比などからは生まれない／隔たった二つの現実の結合から生まれる／結合された二つの現実の隔たりが／遠くかつ正しいほど／映像は強くなる／しかし二つの現実が互いに無関係な結合は無意味だ／映像の創造は生じず／二つの反する現実は結合しようとしない／対立するだけだ／映像が強いのは激しさや意外さではなく／結合された思考と思考の隔たりが／遠く遠くかつ正しいからだ

（ジャン=リュック・ゴダール『JLG／自画像』一九九五年）

はじめに

ゴダール亡きあとになんの映画・映像を見ればいいのだろうか。

ゴダールの映画の多くはズレている。ズレながらも一つの枠のなかで映像として（およそ九十分という時間のなかで）成立しているゴダールの作品群の多くは、脱構成的な映画として議論が可能だろう。またこのズレの方法論として離接的総合とでもいえる方法論をとるものが多い。脱構成も離接的総合もむろんゴダールの全作品で見いだすことができるわけではない。しかしながら、こうした見方を用いることで、ゴダール作品の哲学的射程と、そこからズレていくことそのものが析出できるのではないか。脱構成・離接的総合のバリエーションとしてのゴダールの思考を浮かび上がらせることができるのではないか。

ここでは、脱構成・離接的総合という観点からゴダールのいくつかの作品を取り上げ、ゴダール作品群がもつ知覚から思考への飛翔を浮かび上がらせていくことになる。ドゥルーズがゴダールの映画を要約して述べているように、「映画をつくるのはわれわれではなく、世界が悪質な映画のようにわれわれの前に出現するのだ[1]」。映画から思考が始まる、われわれへの刺激物としてのゴダール像である。そう、ゴダール亡きあともゴダールのようにズレながら、映画を、そして現実を見ればいいということを肯定する試論である。

ゴダールの方法

ゴダールはこう述べている。

ひとはなにかをするためには、二人にならなければなりません。あるいは……自分ひとりしかいない場合は、自分が二重人間（ドゥーブル）になるような状況に身をおかなければなりません……祖国に対する裏切り者になることによってであれ、二重国籍者になることによってであれ、自分が二重人間になるような状況に身をおかなければなりません。レーニンはその思想のすべてを、ロシアの外にいたときに形成しました。ついでロシアに帰って多くの仕事をかかえ、そのなかば近くについては誤りをおかしたりしたあと、この世を去りました。でも彼の創造の偉大な時期は、彼がスイスに亡命していたときなのです。当時、ロシアの民衆は飢饉に苦しんでいました。レーニンはと言えば、チューリッヒの近くの山中をサイクリングしたりしていました。でも彼は、そうした状態のなかでこそ……同時に二つの場所に身をおいていたときにこそ、自分の最高の思索をもつことができたのです。

映画づくりなり映像の創造なりがおもしろいのは、そこでは、同時に二つの場所に身をおくという行為を、ほかの人たちと共有することができるからです。映画はまた、コミュニケーションのための場所でもあるべきです。たしかに、そこではコミュニケーションがひとつは成立しているのですが、でもそれは、すべてのコミュニケーションが成立するのを妨げるようなやり方で成立しているにすぎないのです。(2)

ゴダールによれば、一つの（しかし複数の）ことを何かしらおこなうためには二人になる、つまり二重人間になることが必要である。ゴダール自身がフランス生まれでフランス国籍を有していた一方で、スイス国籍も有していたということは、彼にとって様々な益になっていたことだろう。徴兵を忌避することができ、融通無碍にナショナリティを変えることで、死を避けた。ウラジーミル・レーニンもまたロシアでの活動ではなくスイスでの活動の過程で数々の思考を練り上げていった。二段階革命論や帝国主義論はスイスに拠点があったころの帰結である。むろん、レーニンとてずっと「活動家（あるいは思想家）」だったわけではない。ロシアから亡命したスイスの民衆として登山したりサイクリングしたり、非活動家（あるいは非思想家）の側面があった。一人のなかに別々の側面があり、ともすれば矛盾と思われながらも、それらが一人のなかで醸成されていく。ゴダールにとって映画・映像制作もそうだとここでは述べている。現実に身を置きながらフィクションを作ること。これは認識論的な二重のあり方だろう。あるいは映画・映像のなかで二つの別々の側面を論じ、それらを一つの映画・映像のなかで取り上げながら、帰結としては、ゴダールの一つの視点によって、ズレながら終幕を迎えるようなあり方もある。はたまた、映画・映像のなかでピントが合っているものとそうでないものという存在論的な二重性を取り上げ、ピントが合っていないものを前景化させていくという手法もとるだろう。このときは、コミュニケーションを成立させながら、成立させないという形になる。そのうえで、帰結は第三の目線（カメラアイ、あるいはゴダールの目線）が映画・映像の外側へと連れ出そうとしていく。いずれにせよ、ゴダールにとって二つの別々のものと、それを見ている一つの視線という二元論、あるいは三元論のようなものが枠づけられ、そのバリエーションで作品が作られているのは確かだ。(3)

『ジェーンへの手紙』

こうした方法論のなかで、特徴的なものとして『ジェーンへの手紙』（監督：ジガ・ヴェルトフ集団、一九七二年）がある。ジガ・ヴェルトフ集団時代の最後の作品である。ゴダールとジャン＝ピエール・ゴランは、『万事快調』（監督：ジガ・ヴェルトフ集団、一九七二年）に出演したジェーン・フォンダをナレーションのなかで糾弾する。

一九七二年、「レクスプレス」誌に「アメリカ軍の爆撃についてハノイの住民に問いかけるジェーン・フォンダ」という写真が掲載された。これに対してゴダールとゴランは、フォンダの口は閉ざされていて、問いかけなどしておらず、それに加えて何も考えてさえいないと罵倒する。フォンダが以前出演した作品の写真やフォンダの父の写真などを取り上げ、ゴダールとゴランは執拗に非難する。この写真の焦点がフォンダに合っているのは一瞥すればわかるが、ピンボケしてよく見えない存在、そして背後しか見えていない存在がキャプション上で不可視の領域へと追いやられている。こうした不可視の領域にゴダールとゴランはピントを合わせ始める。「彼の顔〔ピンボケしている真ん中のベトナム人〕はこのアメリカの闘士の顔が表現しているとは全く別のことを表現している」[4]という。「彼の顔はわれわれを、彼が毎日立ち向かっているものに送り届けている」。彼の顔こそ「ベトナムの革命家の顔」であり、「この顔は自らのコミュニケーション・コードの独立をすでに獲得した顔なのだ」。

ゴダールとゴランによれば、フォンダにピントが合っているこの写真は、逆説的にも、ピントが合っていないベトナム人民が浮かび上がるような写真なのだ。フォンダのようなアメリカの俳優（それもフランス語をもしゃべることができるインテリでリベラルなそれ）が、ベトナムの状況に心を痛め、ハノイの住民に同情し、ともすれば上から目線で、そこに数日滞在し、住民らとあたかも対話をしたかのようなこの姿を、欺瞞だとしてゴダールとゴランは怒りをぶちまけているのである。[5]ここで析出されるべきは、異なった二つの立場、つまりアメリカ帝国のリベラル俳優と、実際に苦難に打ち捨てられているハノイの住民たちというそれぞれの立場を一つの枠組み（シネマ、あるいはカメラのフレーム）におさめながら、そこに対するゴダールとゴランによる目線でその一つの枠組みをズラして語るという方法がまさに現れている。ゴダールとゴランは映画にはない文章を付してこう書いている。「われわれの考えでは、この写真のかわりに、この写真のなかにある二枚の写真を並べて掲載すべきだったろう。つまり、古い写真と新しい写真を、古い写真の下に新しい説明文をつけ、新しい写真の下に古い説明文をつけて掲載すべきだったろう」[6]。つまり、フォンダ（やこの写真を撮ったカメラマン）が意図しているだろうリベラル的な見方では、かわいそうなベトナム人民に会いにいってあげた有名なアメリカの俳優くらいのものだったが、ゴダールとゴランがピントを思考上ズラした見方として「ベトナムで私は陽気だ、というのも、爆弾の雨にもかかわらず、ここには革命に対する希望があるからだ、アメリカでは私は憂鬱だ、というのも、経済的進歩にもかかわらず、ここでは未来が閉ざされているからだ[7]」というキャプションめいたものをつけるべきなのだ。最後にこう述べて閉じている。

――現実というのはこうした現実のことである――二つの音と二つの映像、古い音と映像と新しい音と映像、およびこれらのものの組み合わせのことである。事実、二つのものは融合してひとつになると言っているのは（そして君の一枚の写真しか提示しようとしないのは）、帝国主義的資本であり、ひとつのものは分裂して二つになると言っているのは（そして、君のなかで新しいものが古いものとどのように闘っているのかを提示しているのは）、社会的かつ科学的な革命の方である。

——というわけだ。きっと、言うべきことはほかにもあるだろう。アメリカで会えること、またこれらすべてのことについて観客をまじえていくらか議論をする時間があることを期待したい。いずれにしても、がんばってほしい。[8]

ここまで私たちが確認してきたように、二つのものを扱いながらも一つの枠組みで捉え、そこに別様の新たな視点を盛り込んでいくことで作品が作られている典型例として、私たちは『ジェーンへの手紙』を見て取ることができる。そのうえで、最後に、さらにズレが生じている。本当に会って話したいか話したくないのかわからない仕方で、議論をしようと訴え、がんばってほしいと締めている。フォンダ自体もこれを見たのか見ていないのか、見たとしてどう反応するのかこれもまたわからない。つまり、完全に開かれているのである。ゴダールの作品は『ジェーンへの手紙』だけでなく、数多くの作品がこのように終わっていく。[9]

離接的結合

ドゥルーズを召喚してゴダールの議論を整理してみよう。ここまで述べてきたように、別々のもの、つまり二つのものを一つのフレームにおさめながら、それを別様に語るという開かれ方は、ドゥルーズも語っているものである。

ドゥルーズからすればゴダールの映像とは、時間的な契機をモンタージュでつなぎ合わせながら、切断しながらも、つながりを見いだすものでもある。「……ゴダールにおいて、モンタージュは新しい意味を帯び、直接的な時間イメージにおいて関係を確定し、小刻みの切断を、ワンシーン・ワンショットと和解させる」[10]。このことを「共約不可能なもの（incomensurable）」と呼び、別々のものをつなぎながら、別のあり方へと開いていく。「ゴダールとともに、「鎖を解かれた」イメージは（これはアルトーの言葉であった）厳密な意味で、系列的となり、無調的となる」[11]。このとき、そのつどの枠組みについて「ゴダールはたえずカテゴリーを創造する」[12]と述べる。ゴダールのカテゴリーは、そのつどのものであり、確定的ではあるが、やはりそれからズレていく暫定的な枠組みでしかない。ドゥルーズはこう述べている。

つまりゴダールによれば、カテゴリーとは決定的に固定されるものではないからである。それは、それぞれの映画ごとに再配分され、再調整され、再発明される。系列の区分には、そのたびに新しいカテゴリーのモンタージュが対応する（略）われわれは、一つの系列から別の系列に、連続的に移行することができ、同時に一つのカテゴリーから別のカテゴリーへの関係は、特定できないものになる。『気狂いピエロ』において、散策から物語詩に、『女は女である』において、日常生活から演劇に、『軽蔑』において夫婦生活から叙事詩に移行するように。[13]

次から次へと話が変わったり変わらなかったりしていく。ドゥルーズも列挙しているように、数々の作品がそのような作りになっている。最晩年の『イメージの本』(監督：ジャン＝リュック・ゴダール、二〇一八年)などはその(ひどい)典型例だろう。[14] これは『中国女』(監督：ジャン＝リュック・ゴダール、一九六七年)でもそうだ。ジャック・ランシエールが述べるようにマルクス主義について「表象の問題としてのマルクス主義と、表象の原理としてのマルクス主義[15]」の側面についてもしかしたら冒頭では語っているような映像に思われるかもしれない。しかしながら、後半になると、あまり脈絡もなく、電車のなかでアンヌ・ヴィアゼムスキーとその師であるフランシス・ジャンソンが会話をするシーンへと移る。ここでも二つの対照性がある。ジャンソンがかつてアルジェリアの解放闘争にコミットした知識人としてリアリズムを語り、ヴィアゼムスキーに対してテロをやめろと諭す。理念的に「行動としてのプロパガンダ」に訴えようとするヴェロニクことヴィアゼムスキーと、現実のヴィアゼムスキーの(現)ナンテール大学教員だったジャンソンという、フィクションとノンフィクションの対比。ほかにも電車のなかで展開されるテロの話と、その背景であるナンテールよりもおそらくさらに郊外であろうフランスの退屈なありふれた田園風景との対照性。こうした点を挙げると枚挙にいとまはないが、数々の作品で前述してきたような方法論を見て取ることができる。現実と虚構をないまぜにしながら、ゴダールは映画・映像を制作しているともいえる。「私は常にいわゆるドキュメンタリーといわゆるフィクションが私にとって同じ一つの運動の二つの面になり、両者の結合が真の運動を生み出すようにつとめてきた[16]」

こうしたゴダールの方法論は、はからずもドゥルーズが『シネマ』以前にガタリとの共著で語っていたことと重なる。ドゥルーズとガタリはこのように述べていた。

分裂症者は、生者または死者であって、同時に両者であるわけではない。むしろ、彼は、両者の距離の一方の端において、両者のうちのいずれかであり、この距離を滑りながら一方から他方へと飛び移る。分裂症は子供あるいは親であって、同時に両者であるわけではない。むしろ、彼は、分解不可能な空間の中にある棒の両端のように、他方の端において一方であり、一方の端において他方なのである。ベケットにおける離接の意味は、こうしたものである。彼は、自分の作中人物たちやこれらの人物に到来する諸事件を、このような離接の働きの中に登記する。すなわち、すべてが分割されるが、それ自体のうちで分割される。離接が包含的になると同時に、距離でさえも肯定的なものとなる。ヘーゲル学派の最後の哲学者がするように、分裂症者が、あたかも離接ではなく、もろもろの矛盾を同一化する漠然たる総合を用いていたかのように考えるのは、上にのべたような思考の秩序をまったく無視することであろう。分裂症者は、離接的総合を矛盾の総合に代えるのではない。そうではなくて、離接的総合の排他的、制限的使用をその肯定的使用に代えるのである。彼はあいかわらず離接の中にあり、そこにとどまっている。彼は、もろもろの矛盾を深めることによってこれらを同一化し、離接の働きを消滅させるのではない。反対に彼は、不可分の距離を飛び移りながら、離接の働きを肯定するのだ。彼は単に〈男女両性〉でもなければ、男性と女性との間に存在するのでもなく、また〈中性体質〉でもなく、横断的性なのである。彼は横断的生死であり横断的親子である。彼は、二つの対立項を同一項に同一化するのではない、そうではなく、彼は、異なるものとしての対立項を相互に関係づけるものとして、二つの項の間の距離を肯定する。彼は矛盾に対してみずからを閉じるのではなくて、逆に開くのだ。[17]

健常とされている現実を知る者は、あるきっかけで「分裂症」になる。健常者が生者だとすれば、分裂症者は死者と呼びうるかもしれない。むろん、分裂症者は生きている。死者と生者がないまぜになった仕方で、ドゥルーズとガタリは分裂症者を語っている。サミュエル・ベケットのように、グラデーションをもつような人物像が分裂症者だろう。またあるいは、ヘーゲルのような弁証法とは異なる仕方で当人の精神の別々のあり方を結合しているのが分裂症者だろう。それは矛盾ではない。離接的でありながらも統合がなされている状態。そのままその人は閉じるのではなく、その当人のあり方そのものによって離接的な状態をまとめ開いていくようになるという。

これはゴダールの方法論とかなり重なる。ランシエールがゴダールについて弁証法的だと述べるものの、やはりドゥルーズに寄せてゴダールを考えるならば、弁証法的でありながらも弁証法的ではなく、つまり頑なに結合しながら結合していかず、別の世界を開いていくのがゴダールのあり方なのではないか。

脱構成

最後にゴダールのこうした方法を、ゴダールに準えながら、別様のあり方に開いていこう。こうしたドゥルーズの離接的総合とパラレルに語るべきアナキズムの哲学概念がある。「脱構成」である。脱構成とはなんだろうか。構成（consitutué）ではなく、脱構成（destitué）である。構成とは、constitution となれば憲法のことを指す。あるいはアントニオ・ネグリに依拠して構成的権力を語るとすれば、pouvoir constituant の訳語になる。私たちの社会をともに（con）立てる（statuere）、つまり構成していくことが可能になる民衆のあり方だ。その一方で脱構成とは、宙吊りにしてしまうあり方だ。アナキスト集団である不可視委員会はこう述べている。

権力の脱構成とは、権力からその根拠を剝奪することである。それをやってのけるのがまさしく蜂起である。構成されたものは蜂起のさなかであるがままの姿をさらけだし、無様なあるいは効果的な、お粗末なあるいは洗練された策術をくりだす。そのとき「王様は裸だ」といわれるだろう。なぜなら構成するもののヴェールはいまやずたずたに引き裂かれ、誰もがそれをあるがままの姿でみるのだから。権力を脱構成するということは、その正統性を剝奪し、権力に本来の恣意性を引き受けさせて、その倶有的側面を明るみに出すことである。権力が、様々な計略や手立てや策略にうったえる以外に何もできない立場にあると暴露することである──権力もまた他の多くと同様、生き残りをかけた争闘と策動の一過的な布置をつくりだしているということを。権力を脱構成するということは、いまや「モンスター」でも「犯罪者」でも「テロリスト」でもない叛徒たち、やつらの敵以外の何者でもない叛徒たちと同じ次元に政府を引きずりおろすことである。警察がただのギャング団にしか見えなくなるまで、司法が犯罪者の徒党としてあらわれるまで追い詰めることである。蜂起という万人に共通の闘争平面においては、現行権力は数ある勢力のひとつにすぎず、もはや他の諸勢力を統括して命令したり断罪したりするメタレベルの勢力ではない。どんなゲス野郎にも住所はある。権力を脱構成するとは、権力を地上に引きずりおろすことである。[18]

脱構成とは、構成とは完全に異なり、構成的なあり方とは位置をズラすということである。国家を作るのではなく、国家を作らないあり方を、国家がありながらも生み出すこと。この国家に「社会」を代入してもいい。はたまた「映画」を代入してもいい。明確に一貫した物語がある映画を作成するのではなく、物語がありながらも、物語を換骨奪胎させてしまうような映画。あるいは二つの事象や人物が常に対立しながらも、それが一緒になってしまい、しかしそれはあくまである特異な観点によってしか総合されず、特殊と普遍のつながりを脱臼していくあり方。あるいは、物語の構成がなんとなくこうなるかな、と受け手に想像させておいて、結末は全く異なるようなあり方。物語や権力を引きずり下ろして、ゴダールの目線にまですべてを焦点化させてしまうあり方。だから「恐らく、ゴダールは、「特権性」を撮ることの根拠とした唯一の映画作家だといわねばならぬ」[19]。ゴダールという目線、その特異性に依拠した一つの映画が、だからいくつも撮られたのである。

むろんだからといって、他者が全く存在しないわけではない。四方田犬彦が指摘するように、アンナ・カリーナやアンヌ・ヴィアゼムスキー、あるいはジェーン・フォンダやアンヌ゠マリ・ミエヴィルなどの数々の女性たちに翻弄されながら、あるいは翻弄していくことで彼自身の映画キャリアも変化していった。[20] またジャン＝ピエール・ゴランなどの聡明な（？）イデオローグを迎えることもあった（ジガ・ヴェルトフ集団時代）。はたまたアニエス・ヴァルダが晩年にJRとともにゴダールの自宅へ向かうが、それを意図的に無視するという、ヴァルダ（とJR）という他者がいなければありえないゴダールの（不可視であるがゆえに前景化している）姿も垣間見える（『顔たち、ところどころ』、監督：アニエス・ヴァルダ＆JR、二〇一七年）。その程度には、ゴダールに他者は存在している。

脱構成に戻ろう。ゴダールに脱構成的側面を見いだすのは難解なことではない。ヌーヴェル・ヴァーグ時代にも、男と女の乖離とつながりをゴダールの目線で結合して作品を作っている。またジガ・ヴェルトフ集団時代にも、『プラウダ（真実）』（監督：ジガ・ヴェルトフ集団、一九七〇年）、『ウラジミールとローザ』（監督：ジガ・ヴェルトフ集団、一九七一年）、『万事快調』そして『ジェーンへの手紙』の流れは完全に脱構成的な手法に貫かれて語られている。はたまた一九八〇年代以降でも『ヒア＆ゼア　こことよそ』（監督：ジャン＝リュック・ゴダール／アンヌ＝マリ・ミエヴィル、一九七六年）や冒頭に引用した『JLG／自画像』、そして『ゴダールの映画史』（監督：ジャン＝リュック・ゴダール、一九九八年）などでも脱構成を徹底させていて、もはやリミックス、あるいは「つなぎ誤り」（faux raccord）でしかない。むろんあるゴダールの特異な目線からの作品である。

ゴダールの政治的な映画とされる作品群もまたそうだ。常にズレている。アルジェリア戦争ネタについて（『小さな兵隊』、監督：ジャン＝リュック・ゴダール、一九六〇年）も、ジャック・ドゥミらのように「正しい」観点で戦争を糾弾していない。むしろ右翼諜報員との悶々とした恋というズレた観点で撮られていた。はたまたジガ・ヴェルトフ集団時代は先にも述べたように、徹底した離接的総合・脱構成の立場だったし、内容も国家や政府をダイレクトに糾弾するのではなく、ローザとレーニンの議論を相対化しながら浮かび上がらせ、そこからズレていくような手法をとっていった。あるいは『ヒア&ゼア』や『イメージの本』ではアラブ世界を取り上げて、距離や虚構世界の観点で、問題をズラしながらピントを合わせる手法をとる。このとき、権力が問題になっているのではなく、私たちがいかに自分たちの観点から権力を無効化するとともに、抽象的な問題点を特異な自分の視線に引きずり下ろすかということをおこなっている。国際関係など私たちの知ったことではない。そうではなくて、私の世界で当の問題がどう見えて、どう思考し、どう切断しながら次へとつなげていくのかが問われているのではないだろうか。私は、ゴダールの映画・映像をアナキズムのそれだといいたいわけではない(そしてむろん、ランシエールが述べるような、マルクス主義のそれでも全くない)。むしろ、アナキズムの思考を踏襲しながら、さらにそこから逃れていくような、開かれた思考へと誘うのがゴダールの思考だったのだ。

ゴダール亡きあとになんの映画・映像を見ればいいのだろうか。ゴダールの映画・映像を踏まえたうえで、ゴダールからズレていくこと。それがゴダール的な思考に最ものっとったあり方なのだ[21]。ゴダールを見て、そしてゴダールから遠く離れよ。それがafter the requiemでいうべきことなのかもしれない。

注

（1）Gilles Deleuze, *Cinema 2 L'Image-temps*, Les Editions de Minuit, 1985, p. 223.（ジル・ドゥルーズ『シネマ2＊時間イメージ』宇野邦一／石原陽一郎／江澤健一郎／大原理志／岡村民夫訳〔叢書・ウニベルシタス〕、法政大学出版局、二〇〇六年、二四〇ページ）
（2）前掲『ゴダール 映画史（全）』一一〇ページ
（3）ゴダールの三位一体やカトリック性、はたまたプロテスタント性について触れている論考はいくつもある。例えばプロテスタント性について、以下を参照されたい。中沢新一「バスケットボール神学」や「ゴダールとマルクス」（『純粋な自然の贈与』〔講談社学術文庫〕、講談社、二〇〇九年）。
（4）ジャン＝リュック・ゴダール『ゴダール全評論・全発言Ⅱ』（奥村昭夫訳〔リュミエール叢書〕、筑摩書房、一九九八年）一五六ページ以下を参照。
（5）この点に関しては、日本の沖縄やウクライナへの無責任な共感にも通じるものがある。
（6）前掲『ゴダール全評論・全発言Ⅱ』一六五―一六六ページ
（7）同書一六六ページ
（8）同書一六六ページ
（9）だからこそ、ジャック・ランシエールのように二つのものの結合だけを単に称揚するだけでゴダールを語ることはできないのではないかと思われる。Jacques Ranciere, *La Fable cinematographique*, Seuil, 2001, pp. 187ff. や217ff. を参照されたい。
（10）Gilles Deleuze, *op. cit.*, p. 237.（前掲『シネマ2＊時間イメージ』二五四ページ）
（11）*Ibid*, p. 238.（同書二五六ページ）

(12) *Ibid*, p. 241.（同書二五八ページ）
(13) *Ibid*, pp. 241-242.（同書二五九ページ）
(14) 最初は鉄道を中心にフィルムが編纂されていたが、後半はドーファという架空の国を中心にアラビア世界について妄想を開陳してくる。
(15) Jacques Ranciere, *op. cit.*, p. 187.
(16) ジャン＝リュック・ゴダール『ゴダール 映画史Ⅱ』（奥村昭夫訳、筑摩書房、一九八二年）二五四、三九三ページを参照されたい。
(17) Gilles Deleuze et Felix Guattari, *L'Anti-Œdipe: Capitalisme et schizophrenie 1*, Les Editions de Minuit, 1972, pp. 90-91.（ジル・ドゥルーズ／フェリックス・ガタリ『アンチ・オイディプス――資本主義と分裂症』上、宇野邦一訳〔河出文庫〕、河出書房新社、二〇〇六年、一四九―一五〇ページ）。
(18) Comite invisible, *A nos amis*, La fabrique editions, 2014, pp. 75-76.（不可視委員会『われわれの友へ』HAPAX 訳、夜光社、二〇一六年、七五ページ）
(19) 蓮實重彦「映画作家ゴダールは、その「特権性」を晴れやかに誇示しながらこの世界から姿を消した」「文学界」二〇二二年十一月号、文藝春秋、一九二ページ
(20) 四方田犬彦『ゴダールと女たち』（〔講談社現代新書〕、講談社、二〇一一年）を参照されたい。
(21) この意味では、もしかしたら、ある時期からさほど面白くもないゴダール作品（むろん、個人的に述べると、私はゴダールの作品を自分なりに愛しているし、かなり影響も受け、高校時代に映画を数本撮ったことがあるし、折に触れて、唯一何度も見たことがあるのはゴダール作品しかない。これはエクスキューズでもなんでもなく、本当に、そうだ）が、「ここは世界で唯一、ゴダール映画

をかわいいで消費する極東の国なのです」(五所純子「奴隷があつらえたドレスを纏った奴隷が書いたアジテーションにもならない断章」『ジャン＝リュック・ゴダール＋ジガ・ヴェルトフ集団 Blu-ray BOX deux スペシャル・ブックレット』IVC、二〇一五年、二四ページ)という仕方で語られていることを考えると、日本でのゴダールの捉え方はゴダールを踏襲したうえで、ゴダールから遠く離れていて、ゴダール的思考が発露していると捉えてみてもいいのかもしれない。

8 王をたたえない——『バーフバリ』について

『バーフバリ』を面白がれる人はアナキストだ。「王」にせよ「血筋」にせよ、アナキストが唾棄すべきものだ。反権威主義の名の下に思考し暴れるのがアナキストであり、相続権の廃止を訴え、平等と自由を実現していくのがアナキストだ。だから「王」も「血筋」も、敵だ。だからこそ、『バーフバリ』は面白い。また一人の英雄などアナキストには不要だ。誰かが特別な人間になることなく、匿名性・特異性に生きるのがアナキストだ。しかしその一方で、「戦術」や「筋肉」に関してはは共鳴せざるをえない。闘争の術を常に編み出していくのがアナキストであり、例えば兵力がなくとも、そこで知恵を絞るのがアナキストであり、多くのアナキストが性差問わずロック・クライミングやジムで鍛える。その意味では、『バーフバリ』はアナキストのための映画にも見えてしまう。また、ひたすら自由を希求するバーフバリの障壁突破の見事さは、すがすがしい。奇跡こそ、革命でもある。いつ何が起こるかわからない。もっといえば、『バーフバリ』はありえないことが起こりまくる。革命は突如として生じるものなのだから、革命しか起こっていないともいえてしまう。そう、大興奮。いずれにせよ、アナキストであればあるほど、『バーフバリ』は面白い。正直いえば、アナキストでなくても面白い。だって、面白いから（根拠なんか、不要だ）。とにかく、『バーフバリ』は面白い。ここでは、「王」と「戦術」について、ちょっとしたことを書き記したい。

まず、「王」について。バーフバリは潜在的な王だ。『バーフバリ 伝説誕生』（監督：S・S・ラージャマウリ、二〇一五年）でも『バーフバリ 王の凱旋』（監督：S・S・ラージャマウリ、二〇一七年）でも、バーフバリは王になった瞬間は何度かあっても、ほとんどの時間は王ではない。王になっても、すぐ王ではなくなる。どこかで彼に王になってほしいという願望が私たちの脳裏によぎるが、王になるやいなや『バーフバリ』の物語が終わってしまうのではないかと思ってしまう。だから、王になってほしくないのも、正直な願望ではある。だから私たちはあえて、「王をたたえない」のだ。そう、バーフバリは、顕在化した王ではない。潜在的な王であるからこそ、物語が展開する。同じインドというだけの浅はかな比較を用いるが、時代も場所もインド大陸というだけで全く異なっていることくらい私もわかっているという前置きだけして、ちょっと例えさせてほしい。思い起こすべきは、ブッダだ。覚者になる前、彼は王子シッダールタだった。彼が王子であるその間に、彼は四門出遊し、そこから当然のように王位を継承せずブッダになっていった。だからこそ、仏教は生まれた。もしシッダールタがただ悶々としている軟弱な王になっていたら、歴史上の弱小国が人知れず滅びただけだっただろう。前置きが長いわりには、誰でも考えつく例えを出して、ごめんなさい。それはともかく、バーフバリも王位を基本的には戴いていないからこそ、物語が生まれている。『マハーバーラタ』にもこの手の話が載っているのだろうが、私は残念なことによく知らない。これを機に、ちょっと読んでみたい。しかし、長篇なのでビビっている。ちなみに、個人的に長篇で好きなのは『水滸伝』と大西巨人の『神聖喜劇』なので、それらを読む体力があれば、読めるだろうか（ちなみにマルセル・プルーストの『失われた時を求めて』は何度も挫折している。読み通せる気がしない）。

最も印象的なシーンは、『バーフバリ 王の凱旋』にある。次期国王の立場にあったバーフバリは、常に国母シヴァガミの教えに忠実だ。彼は、クンタラ国の妃デーヴァセーナと恋に落ち、彼女を連れてマヒシュマティ王国に帰って婚姻関係を結ぼうとするが、実はバーフバリではなく、バラーラデーヴァとデーヴァセーナを結婚させることが王家の意向で、このことが（バーフバリとデーヴァセーナらに対して）明らかになったときのシーンだ。このとき、デーヴァセーナはいやがり、バーフバリもデーヴァセーナを守る。こうした彼らの態度にキレた王家一同は、バーフバリがデーヴァセーナと結婚し、次期国王の座をバラーラデーヴァに譲るか、あるいは次期国王の座を自ら手にし、デーヴァセーナと別れるかを迫った（基本的には意味不明だが、それでいい）。ここで、当然のようにバーフバリは、王座を手放す。王権なんかなんのその。バーフバリの、ちょっとしたアナキズムが垣間見えた瞬間だ。素晴らしい。つまりデーヴァセーナとともに歩む道を選ぶのだ。「誓いを守り　徳で民を治めようとするとき　それを阻む者が現れることもある　それが神であれ恐れるな　それが王族の道義」。クシャトリアのダルマ（クシャトリアである時点でアナキズム的ではないのだけれど、まぁ、この際、いい）！　この国母シヴァガミの教えを反芻するバーフバリは、キレる王家一同の態度を過ちだと考えた。「王女の心を無視した　誓いは誤りだ　母上の過ちです」。こう述べたバーフバリ。要は、オカンも含めて、みんなばか野郎、と言い放ったのだ。シヴァガミのあらま〜という顔に爆笑せざるをえない。このあとにシヴァガミはこう迫る。「アマレンドラ・バーフバリそなたの道は二つ　歴史に誇るマヒシュマティの国王になるか　狡猾な女の夫となるか」。それに対してバーフバリは「王座のために誓いを破れば　母上の教えに背いてしまう　私は誓いを守ります」。オカンはあのとき「誓い」なるものを教えてくれたはずだ。どんなに「阻む者」が「現れ」ようとも、「恐れるな」と。オカンはいま、コロコロ意見が変わりまくるいやなやつに成り下がっているじゃないか。あくまで「誓い」に忠実に生きるぜ、そうバーフバリは言い放ったのだ。仁義にあついバーフバリ。しかし、王家一同も、仁義問題にはうるさい。国母シヴァガミが言うことは絶対じゃないか、と突っ込まれるわけだが、ここはご愛嬌（だから基本的に意味不明なんだって）。そう、突っ込みどころが満載なのも『バーフバリ』の魅力である。いずれにせよ、バーフバリの勝手な振る舞いだと判断してブチ切れたシヴァガミは、次期国王の座をバーフバリではなく、バラーラデーヴァに譲ると述べる。「この宣誓を法と心得よ！」。ラッパーなら、ナーミーというであろうところだ。またこのパンチラインが強烈だ。絶対王政のなかの絶対王政。朕は国家なり、レベルだ。このあとも、様々な陰謀や訳のわからない理由から、バーフバリは権力の座から引き剝がされていくが、どうなろうとも、デーヴァセーナとの生活を求めていく。王家から追い出されたあとも民衆とともに生きていくバーフバリだが、民衆から大人気の彼は、王宮でなくとも、楽しく生活を営んでいく。

ここで、王家と民衆との生活の差がよく出ている。かたや贅沢の限りを尽くし、ときに軍事力で権力を誇示していく。かたや重労働に従事しながら、貧しくとも助け合って慎ましく暮らす。王家と民衆との非対称性が描かれている。バーフバリは、双方を移動しうるトリックスター的存在だ。バーフバリの魅力はこのトリックスター的な描かれ方だけではない。一九九〇年代のハリウッド映画ばりの破壊シーン、香港映画ばりの武闘シーン、それも王家の軍事・政治戦略だったり、あるいは仰々しすぎるほどの王宮の儀式だったり、など数多くある。民衆には王宮はほど遠い。私たちとはほど遠いそれ、つまり圧倒的に非対称な世界を垣間見ることで、なんじゃこりゃ、とこれらの魅力に引き込まれていくのである。

次に「戦術」について。バーフバリは、幼いころからロック・クライミングで筋肉を鍛え上げていた。『バーフバリ 伝説誕生』の冒頭はひたすら滝登りだ。逆三角形の体格は、まるで体操選手である。剣術の手ほどきを受けたシーンなどは一切ないが、気づけば「血筋」のせいなのか、剣術さばきはおそらく人類最強レベルだ。もう一人のバーフバリことシヴドゥはストーカーのようにアヴァンティカに迫るのだが、このとき、アヴァンティカは当然のように護身のために剣を抜く。アヴァンティカの剣さばきもものすごいが、それを身軽にかわし、アヴァンティカの服を一枚一枚剝ぎ取っていくシヴドゥの身のこなしはものすごい（そしてものすごいエロい顔で迫っていく。怖い）。ストーカーばりの恋愛でさえも実を結んでしまうこともあるのだな、と思うのだが、気づけば二人は固い絆で結ばれるようになり、アヴァンティカの使命を背負って、シヴドゥは単身マヒシュマティ王国に乗り込み、（本当は実の母である）デーヴァセーナ妃を救い出す。この間のシヴドゥの殺陣術たるや、ものすごい。剣術の達人であるカッタッパとも互角にやりあうほどだ。なぜだ、なぜなんだ、いつ習得したんだ剣術を、シヴドゥ、いや、バーフバリ。アプリオリにすごい。

で、これまたすごいのが、シヴドゥではなく、先代のバーフバリの「戦術」だ。特にカーラケーヤとの戦いの際にそれが余すことなく発揮されている。戦闘の際、意地悪な叔父のビッジャラデーヴァの采配で、バーフバリには十分な武器や兵士が与えられなかった。それをものともせずに、バーフバリは戦術を練っていた。大砲から弾を出す際に、二台の大砲の弾に巨大な布をくくりつけて、それを放つ。この巨大な布には油が染み込ませてあり、放った布に火をつけて、カーラケーヤの軍勢を一気に燃やした。武器が十分になくとも、知恵が勝つのである。一方のバラーラデーヴァが、何度見ても狂っているとしかいいようがない、先端にプロペラカッターを搭載した戦車（チャリオット）を乗り回し、敵味方見境なく殺しまくるのもなかなか見応えがあるが、バーフバリは、味方は殺さない。カーラケーヤの本陣に迫ったバーフバリの軍勢は、敵の前線に差し出された味方の民衆を前に、戦術が炸裂する。味方の足元にひも付きの球を投げて、ことごとく味方の足元をすくう。そこで眼前に広がるのは、味方ではなく、敵軍だ。そこに矢を放って敵軍を木っ端みじんにしていく。ありえないが、素晴らしい。というか、ありえないからこそ素晴らしいのだ。

『バーフバリ 王の凱旋』でも、バーフバリの戦術はものすごい。先代のバーフバリは、先のカーラケーヤとの戦いのあとに、次期国王になるために必要な民の生活を知る旅に出るよう、シヴァガミに告げられる。カッタッパをお供に連れて、バーフバリが野に下っているなか、突然、蛮族が高貴な一団に襲いかかってきた。しかし、それは高貴な一団による罠だった。蛮族を打つために兵士たちが高貴な一団になりすまし、蛮族をおびき寄せ、退治する算段だったようだ。このとき、高貴な一団の輿から出てきた若きデーヴァセーナはこの蛮族を見事に叩っ斬っていくのだが、この姿に一目惚れしたバーフバリは、もうデーヴァセーナに首ったけ。カッタッパとともにバーフバリも蛮族に襲撃されるのだが、この間もデーヴァセーナのことだけを思い、戦いどころじゃなく、心ここにあらず状態。だが、むちゃくちゃ強いのがバーフバリ。蛮族をカッタッパと全滅させる。シヴドゥも含め、親子そろって変態だ。その後、なんとかデーヴァセーナに近づきたい一心で、無能なふりをして彼女らに仕える身となる。その後、お近づきになり、いろいろ割愛して、先に述べた「印象的なシーン」につながる。

なかでも『バーフバリ 王の凱旋』(日本で上映された当初のバージョンです)のラスト二十七分くらいがすさまじい。この間のマヒシュマティ王国の悪辣なあり方に怒りを覚えたバーフバリは、こう宣言する。「王国に伝えてくれ　老いも若きも　勇者も愚者も警戒せよと　剣がなければ矢でも鎌でも武器になるものを集めておけと　王国の病を断ち切る　国母シヴァガミの孫　アマレンドラの嫡男　マヘンドラ・バーフバリの帰還を告げよ」。そして彼はマヒシュマティに乗り込んで、国王バラーラデーヴァに復讐する。全面戦争だ。再びバラーラデーヴァが乗る、何度見ても狂っているとしかいいようがない、プロペラカッター搭載戦車が登場して、やはり敵味方見境なく殺しまくりながら、デーヴァセーナを奪い去ったりする。そういえばこの手の戦車で想起したのは、『ねこぢるうどん2』(ねこぢる、青林堂、一九九二年)にも出てきた「やまのかみさま」の「ころぺた号」なのだが、まさか『ねこぢるうどん2』は読んでいるはずないよな、と思いながら。それはそうと、バーフバリらの軍勢が王宮に進入する際に、橋も門も閉じられたなかで戦術が練られ、それが実行される。その戦術が、ありえなさすぎて、大興奮。王宮前に生える長く育ったヤシの木を紐で縛ったままへし曲げて、その紐を切ることで、パチンコ玉のようにその木によじ登ったバーフバリらが弾かれて、王宮に弾丸のように進入し、戦いを繰り広げるのだ。そのあとは、バーフバリの面目躍如。最後は、鉄鎖を手にぐるぐる巻いて、バラーラデーヴァをフルボッコ。最後は生きながらにして彼を燃やす。

やはりアナキストとして残念なのは、ラストだ。バーフバリは国王になり、こう述べる。「民は勤勉と正義を信じ　正しき行いに努めること　これに反する行いをすれば　首を切られ　奈落に落ち業火に焼かれる　ここに国王が誓う　この宣誓を法と心得よ」。「王国の病」はこれで「断ち切る」かに見えたが、アナキストからすれば、国王を倒しても、再び国王なるものが存続するのでは、「病」は続くのではないかと思う。とはいえ、こうしたところもアナキストであればあるほど、わかりやすいほど面白がれるだろう。さらなる続篇で、バーフバリが国王になり悪の限りを尽くしていたら、アナキズム・サイドからみれば、やっぱりね、となるところだが……ここでひとまず。

まぁ、それはそうと、タマンナー・バティア演じるアヴァンティカはかわいいし、プラバース演じるバーフバリの筋肉は素晴らしい。筋トレをする身として、これを見たあとにジムに行ったのは内緒である。この映画には、欲望のすべてが詰まっている気がする。インド映画というのもあるので、五社英雄的なエロスは確かに足りない。とはいえ、障壁を打ち壊す際の、自由を希求するバーフバリに興奮しないわけがない。

9

映画のなかのアナキズム
――『金子文子と朴烈』(監督:イ・ジュンイク、二〇一七年)論

はじめに

この世のありとあらゆる国家が社会が、糞である。これまでもそうだったし、いまもそうである。これに変わりはない。しかし、糞は分解されれば肥料になる。肥料は再び私たちの栄養を作り出す。しかし私たちが生存できるようになるやいなや、その過程で国家や社会は資本主義と結託して、再び生存を脅かす。もうこの連鎖にほとほと飽きた。では国家や社会が資本主義と結託しないためにはどうするべきかって? 国家も社会も資本主義も、未来永劫分解し尽くすしかない。

こんな糞みたいな国家や社会や資本主義を菌やウイルスのように分解していった者たちがいる。アナキストだ。アナキストは、国家と社会に対する菌やウイルスである。アナキストにも、菌派とウイルス派がいるだろう。菌は、人や動物の細胞という寄生する先がなくとも条件さえそろえば増殖可能である。ウイルスは、宿主がなければ増殖は不可能だ。要は、国家や社会があろうがなかろ

うが、アナキストであるという場合と、国家や社会がなければアナキストではないという場合とがある。後者は社会主義やファシズムに陥りがちだ。私がお好みなのは前者である。そして金子文子は前者である（朴烈はちょっと後者である）。とはいえ、彼女たちは生まれながらにしてアナキストであり、ある一定の条件がそろったがゆえにアナキストである。とりわけ彼女たちのアナキスト菌は日本という国家や社会を分解していったし、彼女が死してもなお、その菌は増殖している。だから「百年たって耳にとどく」[1]のだ。むろん、日本だけでなく、韓国でも蘇生し、東アジアでも蘇生し、世界でも蘇生するだろう。金子はこう述べている。「一切の現象は現象としては滅しても永遠の実在の中に存続するものと私は思っている」[2]

東アジアで蘇生された金子文子のアナキスト菌は、映画となって韓国を中心に増殖した。いうまでもなく、映画は国家を越えるものであり、菌もウイルスも国境を越える。そしてこの間の韓国映画の水準の高さは、世界を股にかけるものになっている。感染すれば、あっという間に増殖を繰り返すことになる。媒介項は人・映画・活字・振る舞いなど様々だ。媒介項によっては、その実現の仕方が異なる。映画であれば、まさに「劇的」な演出が可能である。映画の冒頭で金子は朴の詩である「犬ころ」に心奪われ、二人は出会うことになっているが、実のところ、それは異なる。「犬ころ」の詩そのものはいまだに発見されていないし、実際出会ったのは、友人の滞在先でのことだった。しかしながら、それが劇的なケレン味を与えるのである。[3]詩的感覚は人と人を結び付ける。アナキズムは人と人とを結び付ける。それを映画で表現したのが冒頭のシーンなのである。映画は映画で見ていただくとして、ここでは、映画が展開される以前のストーリーを書くことにする。これを読んで、本作を見ていただきたい。そうでなければ、不幸になりますよ。見た人は、これを読んでもう一回、見たらいいんじゃないかな。

朴烈

朴烈は一九〇二年、慶尚北道聞慶（キョンサンプクトムンギョン）に生まれた。八歳のときに日本の植民地政策が実施されるようになり、実質的な日本の支配下になった。支配体制下の朝鮮の学校教育では、朝鮮の歴史などはなかったことにされ、もちろん日本語を強要されていた。一九年の三・一運動では、かねてからの反抗心が燃え盛り、抵抗運動に身を捧げるようになったが、日本軍の弾圧に追われるようになり、同年の十月には日本へ向かうことになった。東京で身を潜めるように下層労働者として暮らしていくなかで、アナキストたちと合流するようになった。この間、新聞配達や人力車夫、郵便配達などの労働にいそしみながら、日本の朝鮮人差別を身をもって体験していった。不逞鮮人と呼ばれることに抗し、その差別を具現していく日本政府に抗すること。それが彼の至上命題になっていったのはいうまでもない。ことにこの至上命題を実現するべく、「義血団」「鉄剣団」「血拳団」などの団体を立ち上げて、夜な夜な仲間たちと親日派の朝鮮人を襲撃していった。

朝鮮系アナキストらとだけつるんでいたわけではない。中浜哲や高尾平兵衛らと結託し、テロをもくろむ団体をも結成していく。その名も「自殺クラブ」。なかなかすごい名前だ。自殺クラブでは、親日派朝鮮人だけでなく、右翼をもターゲットにするとともに、それらの頂点に立つ天皇制そのものをも廃止・粉砕するべく日がな闘争に明け暮れることになった。もちろん、これではただの反社・反グレみたいに思われてしまうので、いちばん重要な行動としてほかにも、朝鮮系労働者たちの悲惨な状況を目の当たりにしていった朴烈らが、その労働環境改善のために尽力していったのは特筆すべきことである。

朴烈らは一九二二年に起きた新潟県・中津川の朝鮮人虐殺事件の調査に取りかかっていた。朝鮮系の労働者たちが虐殺され、その死体が川に流されたという事件である。東京の神田でこの事件の調査報告のための集会を開いたのだが、この際、千人近くの人々が集まって、朴烈は演説をぶった。民衆の熱気が沸騰しつつあるなか、弾圧のために官憲がやってきて、場内・場外ともに大乱闘が繰り広げられたという。またそのころに、ソウルに向かい、爆弾入手を企てた（そして失敗した）。

日本でも次第に頭角を現し始めた朴烈は、いわゆる「主義者」が集まるところへ繰り出し、日々仲間と論議を熱く交わすようになっていた。その主義者が集まる場所の一つに、通称「社会主義おでん」と呼ばれるおでん屋があった。社会主義おでんこと岩崎おでん屋では金子文子が働いていて、そこで、映画の冒頭につながってくることになる。二人が出会う前後にも朴は「黒濤会」という思想研究の団体を友人らと組織し、その後その会は、ここでいうところの菌派である（アナキズム派ね）「黒友会」と、ウイルス派である（共産主義派ね）「北星会」とに分裂した。とりわけ、黒友会では、「民衆運動」と題する冊子を朝鮮語で発行し、思想の宣伝に努めていた。これに加え、日本語での冊子として「太い鮮人」を刊行するようになり、これとあわせて不逞社という組織を作るようになる。朴烈を含む不逞社の面々が、そのあとに爆弾の入手などをおこない、それに起因して入獄の憂き目にあうことになる。

金子文子

　金子は無籍者として生まれた。一九〇三年のことである。「だらしなく無頓着」な巡査だった父と、その正反対の性格をもつ母との間に私生児として生を受けた。父の異性問題に起因して家庭は崩壊状態になり、父は母の妹と出奔。その後母も男を連れ込むなどして、男に頼らなくては生きていけないという状態だった。その様子を見て育った金子は、そのような女性には絶対ならないと決心する。この間、籍がないことに起因して、学校にいきたくてもいくことはかなわなかった。「学齢に達しても義務教育の恩恵とやらに浴することもできず、ひたすら頼んで入学すれば、それは裏長屋の「ビール」の空箱を机とした寺子屋であり、「ブルヂュワー」の学校に入れて貰えば成績優秀でありながら、私一人、修業証明を貰うことができずどれほどか幼い頭を痛めたか知りませぬ」[4]

　その後も親戚をたらい回しにされ、山梨にある母の実家だったり、朝鮮の芙江の父方のおばだったりに預けられるなどするなかで、虐待を受けて育った。十七歳で東京へ勉学のために上京し、そのころから社会主義者たちと交流するようになった。

　この間の朝鮮での生活は過酷だったようだ。当初は養子として受け入れられたものの、彼女の勉学に励みたい気持ちや、当然のように芽生える子どもの遊びたいという気持ちが祖母の反感を買い、女中同然に扱われる日々だった。あるいは学校にようやく通えるようになっても、学校教育の狭苦しさに常に煩悶していた。こうした環境にあって、奴隷として扱われる朝鮮人たちにシンパシーを抱くようになった。鶴見俊輔はこう述べている。

大震災直後に大逆罪のうたがいで朴烈とともにとらえられた金子ふみ子は、籍をいれてもらえない子として育ち、やがて朝鮮で女中としての苦しい生活をしたうえで、朝鮮人との結婚にふみきったと言う。ここには、日本の社会のなかでの疎外が朝鮮人への結び付きに導き、それがさらに日本の社会体制にたいする反逆の意志を育てると言う生き方がある。(5)

上京後、金子は新聞販売店に住み込みながら学校に通い、過酷な日々を送っていた。午前は英語学校、午後は数学の学校、夕方から夜まで(四時~十一時半ごろ!)夕刊を売り、夜中に店に戻って米を研いだり、店の片付けをしたりして、ようやく床に就く、という生活だ。夕刊を売店で売っていた金子はそんななか、近隣にある団体の呼びかけに耳を傾けていた。それに加え、実際、金子の売店にその団体の人々が新聞を買いにきていた。そのうちの一つが社会主義者の一団だったのだ。そこから交流が始まり、パンフレットをもらうなどして貪るように読み始めた。そして「社会主義の世の中になったら」という冊子に掲載されていた先の高尾平兵衛の文章を読むなど、一気にアナキズム菌が増殖することになった。しかしながら、過酷な激務がたたってか、新聞販売の仕事はクビになってしまい(仕事中に居眠りをするようになったようだ)そこから露天商や女中を経て、社会主義おでんこと岩崎おでん屋の女給として働くようになったのだ。

自分自身を生きる

二人はともに、虚無主義者だった。この前後で金子は、自らを無政府主義者と規定していることもあれば、アナルコ・ニヒリストと規定していることもある。いずれにせよ、ここではほぼ同義としてみよう。金子は朴の詩「犬ころ」を通して共鳴した。彼女はこう思ったようだ。「そうだ、私の探しているもの、私のしたがっている仕事、それは確かに彼の中に在る。彼こそ私の探しているものだ。彼こそ私の仕事をもっている」(6)。当初はお互いぎこちない会話が繰り広げられていたものの、次第に「私達は互いに心と心で結ばっているような安らかさを感じていた」(7)。そして、いくつかの条件の合意のもと、同棲することになった。訊問ではこう述べている。「私は朴に対し同志として同棲すること、運動の方面においては私が女性であるという観念を除去すべきこと、一方が思想的に堕落して権力者と握手することができた場合には、直ちに共同生活を解くことを宣言し、相互は主義のためにする運動に協力することを約して、私らは同棲することを決意したのでありまず(8)」。ここから、山田昭次が書くように、金子は自らの思想を表現する場として訊問を利用する決意をした(9)。

金子の思想の軌跡をたどると、社会主義から無政府主義、そして虚無主義という流れであるのはそのとおりである。しかも、彼女の思想は、勉強を通じてというよりもむしろ、彼女が生きたその軌跡をたどることで、それを見いだすことができる。これに対して朴は、何よりも反日抵抗運動という民族主義的な流れが出発点にあった。日本に来てもなお、そうであったのは間違いない。そうしたなかでクロポトキンの思想に出合うなど見聞を広めていくなかで、金子とともに「民族運動者ではなく常に自我から出発してその運動のために生命を賭し得るだけの力ある男」[10]となり、運動を展開するようになった。当然のように、同じような主張をもつ同志でありながらも、差異はある。差異があるから、同意が可能になる。二人の生の軌跡が異なるように、思想もそうだろう。そう、ひとたびアナキズム菌に感染すれば、その人のなかで新たなアナキズムが実現する。金子はこう述べている。

どんな思想といって私が諸所を漂って苦学をしていた頃には、社会に対する漠然たる反抗心はもっていたようですが、しかしそれがいわゆる何思想と呼ばれるほどはっきりした思想に裏づけられてはいないようでした。私が今、考えて見ても私のこの思想は書物などから来たものではなく、私の心の眼覚めにつれて覚えてこの方自分が体験して来たさまざまの悲しいことや苦しいことが私を駆って、一息に今日の思想に押上げてしまったようです。つまり私の今のこの思想は他人から植込まれたものではなく、自分自身の体験から生まれたものであるように思います。[11]

自分自身を生きることは、反抗と結び付く。私が私であることに、国家も社会も資本主義も天皇も不要である。私以外のこれらすべてを否定することと、差異を認めて同意すること。つまり朴とともに生きることのすべての根源には「私」しかいない。自分自身の経験からしか生まれない。

おわりに

ウイルスも菌も動物同士で感染していく。動物同士は密接になりながらも、それぞれの領域はゆるく区分けされながら共生することができる。しかしながら、資本主義は乱開発やジェントリフィケーション、グローバル化を遂行し、すべての領域を区分けなく均質にしていこうとする。このときに、ウイルスも菌も爆発的に増えていく。いうまでもなく、アナキズムは反資本主義である以上、これとセットでもある。だから、資本主義が爆発的に拡大していくと同時に、アナキズムも拡散していく。しかしウイルスと菌は異なる。ウイルスはあくまで国家、社会、資本主義という宿主がなければ増殖することは不可能である。もちろん菌もそうではあるが、菌は、それ自身自律的に生きることができる。菌は糞を分解し、宿主を超えて拡散する。金子文子はアナキズム菌の感染者である。彼女は彼女の時代なりに自分自身を生きることで、思想を作り上げた。私たちの時代はどうだろうか。実はさほど変わらないようにも思えるし、全く異なるようにも思える。差異があるがゆえに、共鳴することができる。同意することもできる。人や映画、活字、振る舞いなど様々な媒介項があるだろう。なかでも映画は、拡散にふさわしいものの一つだ。無能な国家、買い占めをするような社会、それらを引き起こしている資本主義、新型コロナウイルスを否定して、引きこもりながら、差異を重んじ、大切な人たちに共鳴し、同意していくこと。引きこもりながら、この映画でも見て、アナキズム菌に感染するしかない。そうすれば私たちはいまある世界のあり方を分解し、私たち自身を生きる思想、つまり肥料を、栄養を生み出していくことになるだろう。国家も社会も資本主義も、未来永劫分解し尽くすしかない。

注

(1) 森元斎「百年たって耳にとどく——鶴見俊輔と金子文子」「図書」二〇一九年八月号、岩波書店

(2) 金子文子『何が私をこうさせたか——獄中手記』(岩波文庫)、岩波書店、二〇一七年、四〇八ページ

(3) 一九二二年二月ごろに、検閲にかかる前の校正刷りの「青年朝鮮」という冊子のなかに、朴烈が執筆した「犬ころ」が掲載されていたと金子自身が尋問で語っている。鈴木裕子編『金子文子 わたしはわたし自身を生きる——手記・調書・歌・年譜』(〔自由をつくる〕、梨の木舎、二〇一三年)三〇五ページ以下を参照されたい。

(4) 同書三〇〇—三〇一ページ

(5) 鶴見俊輔「朝鮮人の登場する小説」『鶴見俊輔集11 外からのまなざし』筑摩書房、一九九一年、二二九—二三〇ページ

(6) 前掲『何が私をこうさせたか』三九四ページ

(7) 同書四〇二ページ

(8) 前掲『金子文子 わたしはわたし自身を生きる』三〇五—三〇六ページ

(9) 山田昭次『金子文子——自己・天皇制国家・朝鮮人』(影書房、一九九六年)一六一ページ以下を参照。

(10) 前掲『金子文子 わたしはわたし自身を生きる』三〇五ページ

(11) 同書三三五―三三六ページ

10 俺たちは共産主義者だ――『ギミー・デンジャー』

はじめに

高校生のとき、友人が教えてくれた映画がある。『トレインスポッティング』(監督:ダニー・ボイル、一九九六年)だ。ぼんやりと悪いことをして、ぼんやりと音楽をやっていた私は、ぼんやりとこの映画を見にいった。いまはない、調布の映画館のレイトショーか何かで上映していた。そういえば、故・水木しげる先生のご自宅をピンポンダッシュしたことがあるのは私です。いまここで謝罪させてください。申し訳ありませんでした。

で、『トレインスポッティング』だ。見終わったら早速、窃盗団の準備だ。それよりも格好だ。ファッションだ。形から入らなければ気がすまない。だからピチピチのジーンズにシャツ、アディダスのジャージ。金髪の坊主頭。もう、気分はレントンだ。次に音楽。アンダーワールドの「ボーン・スリッピー」と、そしてイギー・ポップの「ラスト・フォー・ライフ」[1]。それまでゆらゆら帝国が入りっぱなしだったCDウォークマンに、ひとまずイギー・ポップが挿入される。そこからストゥージズ。「サーチ・アンド・デストロイ」を移動中ひたすら聴くことになる。タイトルから想起されるように、「破壊への情熱は、創造の情熱」というミハイル・バクーニンの言葉もよぎる。高校生の自分がライブハウスで音楽を奏でるとき、イギー・ポップを降臨させようと試みる（しかし、どこか流血して必ずテンションが落ちるのが常だ）。あるいは、ジョイ・ディヴィジョンのイアン・カーティスでもいいし、阿部薫のステージの暴れ方もいい。あるいはハナタラシ時代の山塚アイでもいい。しかしそれよりも、元祖はイギー・ポップだ。それもその姿は、ただひたすら生きるlust for lifeなのだ。しかもその生は、ストゥージズのアシュトン兄弟だったり、デイヴ・アレクサンダー、ジェームス・ウィリアムソンだったり、それぞれがそれぞれの仕方で、ともすればてんでバラバラな個性の持ち主たちがともに奏でることができるものだったりする。そう、音楽は、即興であれ楽曲であれ、個々の人間が一堂に会し、そこで演奏することで成立する、ともすれば共産主義的な営みなのだ。音楽とは共産主義のたまものだ。

ジム・ジャームッシュがイギー・ポップを中心にドキュメンタリーを撮った。『ギミー・デンジャー』（二〇一六年）だ。そこで何度もイギー・ポップが述べる言葉がある。「俺たちは共産主義者だ」。そう、はからずも、彼らは共産主義の名を体現した共産主義者だったのだ。若き日のイギー・ポップたちは、共同生活を営む。ギャラも等分。あとは音楽を作るか、ヘロインでぐちゃぐちゃになる。ときに、元ヴェルヴェット・アンダーグラウンドのジョン・ケイルにプロデュースしてもらうこともあれば、デヴィッド・ボウイにしてもらうこともあった。しかし、ボウイとは純粋な音楽の関係ではなく、むしろ大人の関係。彼らはボウイに搾取されまくる。ふざけんなばか野郎。だからのちに、ソロで音源を出し、ボウイとともにやりだすときに、犯行／反抗を試みる。ボウイのミキシングを不問に付し、イギー・ポップ自身がミキサーをいじる。スピーカーが割れんばかりのミキシングだ。しかし、それが世に出ることで商業的にも成功をおさめるようになる。やりたいことを、やりたいように、やる。それが共産主義者だ。

共産主義

イギー・ポップの共産主義は、むろん、国家レベルのそれではない。個人的共産主義とでもいえるようなものだろう。共産主義者が好んで使う言葉がある。「各人はその能力に応じて、各人にはその必要に応じて」。これはマルクスやクロポトキンが自らの文章のなかで語るパンチラインだ。この言葉は、エティエンヌ・ガブリエル・モレリという十八世紀の著述家の創作だとされていて、のちに二月革命の立役者ルイ・ブランによって広められ、初期社会主義運動で知られることになった言葉だ。(2)

この言葉は現在の論者たちにも反芻して語られているものであり、イギー・ポップはこの言葉で共産主義者として位置づけられる音楽家でもあるだろう。『負債論』を記したデヴィッド・グレーバーはこの言葉を私たちの生の基盤にあるべきものとして述べ、共産主義を展開している。グレーバーはこう述べている。

ここでは、共産主義を、「各人はその能力に応じて〔貢献し〕、各人にはその必要に応じて〔与えられる〕」という原理にもとづいて機能する、あらゆる人間関係と規定しよう。（略）実のところ、「共産主義」は、魔術的ユートピアのようなものではないし、生産手段の所有ともなんの関係もない。それは、いま現在のうちに存在しているなにかであり、程度の差こそあれあらゆる人間社会に存在するものなのだ。（略）この単一の原理によって組織されたひとつの社会という意味での「共産主義社会」が存在することは、決してありえない。だが、あらゆる社会システムは、資本主義のような経済システムさえ、現に存在する共産主義の基盤のうえに築かれているのだ。(3)

グレーバーにとって共産主義とは、先の文言を原理として動いている私たちの人間関係のことだ。それぞれの人間にはそれぞれの能力がある。ある人はライブのパフォーマンスでピーナッツ・バターを体に塗りたくって観客にまき散らすことが得意かもしれないし、ある人は微動だにせずギターを弾き、のちにエンジニアになり、さらにはソニーの副社長になることができる能力があるかもしれない。そうした人間がともに同じライブ・パフォーマンスをおこなうことができ、一つの生を出来事として体現してくれる。その意味で、共産主義は、ユートピアや私たちの生とはなんら関係ない彼方の主義・主張なのではない。ともすれば、ギターはみんなのものではなく、うまく弾ける人が弾くべきだという生産手段の所有の問題など、この際どうでもいいのだ。イギー・ポップらからすれば、彼らの生において実現しているものなのだ。だから「俺たちは共産主義者だ」と映画のなかで述べるのである。イギー・ポップはこうも述べている。「同じ家に住み、一緒に同じ物を食う。金はほとんどすべて平等に配分した」「ストゥージズは共産主義者だ」。そう、ジム・ジャームッシュはこの言葉をイギー・ポップから引き出したことで、イギー・ポップの神髄を取り出してみせたといっても過言ではない。

コーヒー共産主義

イギー・ポップが気を使い、トム・ウェイツが不機嫌ながらも、二人が喫茶店でコーヒーとタバコとともに会話をする映画がある。ジム・ジャームッシュの『コーヒー&シガレッツ』(二〇〇三年)だ。彼らは音楽やタバコの話を繰り広げる。なかでも、唐突に、トム・ウェイツが遅れたのは医者の仕事をしていたという理由をつけ、音楽と医学は同じだ、と語る。音楽でも医学でも、私たちはそれらによって治療されていくものなのだろう。いずれにせよ、終始トム・ウェイツは不機嫌だ。これはジム・ジャームッシュいわく、撮影の前日に彼がトム・ウェイツの自宅に脚本を置いたまま帰宅し、翌日この脚本を見たトム・ウェイツが、脚本のどこが面白いのかわからないと怒りぎみになりながら撮影に臨んだからだそうだ。そのトム・ウェイツの心情さえあふれ出ているこのイギー・ポップとのシーンは素晴らしい。例えば、イギー・ポップがトム・ウェイツに素晴らしい演奏をするドラマーを紹介しようとする。それに対してトム・ウェイツは、自分の音源でのドラムに対するダメ出しだとして不機嫌な態度をとる。イギー・ポップはただ純粋にドラマーを推挙しようとしただけなのだが、それに対するトム・ウェイツは、若干怖い。ここでのやりとりは、脚本はありながらも、彼らの人となりがにじみ出ていて、しかし一方が一方をつぶすようなことはなく、調和が保たれている。これは音楽の演奏でも同様だ。相互に駆け引きするなかで調和を目指す。それはむろん、不調和でもかまわない。出来事として作品が成立することが重要なのだ。『コーヒー&シガレッツ』のなかでも個人的にも、ウータン・クランのGZAとRZA、そしてビル・マーレイが出演している話が好みだ（しかしビル・マーレイは晩節を自身で汚しすぎじゃない？）。トム・ウェイツと同様、RZAが音楽と医学（しかも東洋医学）のパラレルな関係を語り、ビル・マーレイに医者のような語り口で諭していく姿がたまらない。ビル・マーレイが頻繁に咳をするなかでウータンの二人は彼に、やれタバコはよくないだの、カフェインはよくないだのと伝え、喉には過酸化水素水と水を半々で割ったものでうがいをするといいだの、しまいには洗剤を水で割ったものでうがいをするといいと述べていく。最後のこうしたいたずらな会話の影響から、ビル・マーレイは洗剤でうがいをするなか、ウータンの二人は店を出ていく。(4)

いずれにせよ、基盤には常に共産主義がある。だいたいにおいて、『コーヒー&シガレッツ』では、どちらがコーヒーをおごったのか、あるいはおごったからといって、何か恩が着せられるわけではない。ぼんやりとおごられ、ぼんやりとおごる。私たちの生にはこうした事態が満ちているし、こうした事態こそが私たちの生の基盤にある。グレーバーはこう述べる。

社会一般のレベルとおなじく、宴の共有においても、その上にすべてが構築されるある種の共産主義的基盤をみいだしうる。そしてそれによって、共有にはモラルのみならず快楽も関係しているということがはっきりとするのである。孤独な快楽も常に存在するものであるが、最も悦ばしい活動にはほとんどだれにとっても常になんらかの共有がともなうものである。音楽、食事、酒、ドラッグ、ゴシップ、劇、セックス。私たちが楽しいとおもうほとんどのものごとの根には、ある種の共産主義的感覚が存在している(5)。

そう、私たちの生の基盤には共産主義が存在する。そして人間として喜ばしい活動ができるのは多くの場合、人間が複数人いて、人間同士の「関係」が成立するときにおいてこそなのだ。「音楽、食事、酒、ドラッグ、ゴシップ、劇、セックス」。これにコーヒー&シガレッツを加えてもいいだろう。

ひたすら生きるlust for life

イギー・ポップを聴く私たちは、ひたすらただ生きる。過去に人に言えないようなこともしてきたけれども、まぁ、生きてみようかと思えているわけだ。「ラスト・フォー・ライフ」が響く。そんな過去に、ドラッグでぐちゃぐちゃになったこともあれば、恋愛でドロドロになったこともあるだろう。だから「私は貴兄(あなた)のオモチャなの(I wanna be your dog)」(by岡崎京子)のようなストゥージズの解釈もある。タイトルに比して、悲愴感はない。なぜなら、生きているからだ。私たちの生は、それを生きるだけで肯定されるものだ。否定などない。生とは全き肯定だ。そしてその生で、人は人やモノと関係を有し、そこで基盤的共産主義を生きる。だから生きていくことができる。

共産主義を生きていくなかで、私たちは他愛もないような会話をおこない、コーヒーを飲み、タバコを吸うだろう。映画を見て、バンドを組み、セックスをするだろう。書物をひもとくようになるだろう。そして生の質が変化していく。人との出会いはもちろんそうだが、映画と音楽と本は、人を変える。何度言い過ぎても、言い過ぎることはない。これは年齢に関わることもあれば、関わらないこともある。若い年齢には若い年齢なりの、中年なら中年なりの、あるいは高齢なら高齢なりの、出会いがある。イギー・ポップの生きざまに悲愴感はない。ただ生きているからだ。肯定されるべき生のただなかにいるからだ。そこで無駄に資本主義に身を委ねる必要はない。共産主義でいいのだ。生きるだけでいいのだ。最後に、グレーバーの師匠マーシャル・サーリンズの冗談を引く。

宣教師：いったいなにをしているのかね！　そうやってごろごろして、人生をムダにしちゃだめじゃないか。
サモア島人：どうしてだね？　じゃあいったいなにをすればいいのかい？
宣教師：そら、ここには椰子の実が山ほどある。干して売ったらいい。
サモア島人：いったいぜんたい、なんでそんなことしなきゃいけないんだ？
宣教師：おかねがたくさん手に入るではないか。そのおかねで干し機を買えば、もっと手早く干し椰子の実がつくれるし、そうすればもっとおかねももうかるのだ。
サモア島人：なるほど。でも、どうしておかねをもうけなきゃいけないんだい？

宣教師：おかねもちになれるではないか。それで土地を買って、木をたくさん植えて、事業を広げればいい。その頃には、きみはもう働かなくてよくなっているのだ。たくさん人を雇ってやらせればいい。

サモア島人：でも、どうしておかねもちになって、そういうことをひとにやらせなきゃいけないんだい？

宣教師：ううむ、椰子の実と土地と機械と雇い人ともうけたおかねで、おかねもちになったら、引退できるではないか。そうすれば、もうなにもする必要はない。一日中、きみは浜辺で寝ていられるのだ。[6]

最初からごろごろしていたわけで、遠回りしてまで、ごろごろする生活など手に入れたくない。面倒くさい。そう、私たちは、やりたいことを、やりたいように、やればいい。それがただひたすら生きることなのだ。「俺たちは共産主義者だ」。私たちはイギー・ポップの子どもたちかもしれない。

注

（1）この辺のことについては、森元斎「T2 トレインスポッティング やつらは相変わらずだった」（「西日本新聞」二〇一七年四月九日付）を参照。

（2）酒井隆史「赤と黒のあいだのマルクシズム」（「総特集　マルクスの思想」「現代思想」二〇一七年六月臨時増刊号、青土社）二六三ページ以下を参照。

（3）デヴィッド・グレーバー『負債論――貨幣と暴力の5000年』酒井隆史監訳、高祖岩三郎／佐々木夏子訳、以文社、二〇一六年、一四二―一四三ページ。なお、翻訳ではコミュニズムと訳されている語をここではあえて共産主義として地の文に合わせている。

（4）漢 a.k.a. GAMI らの映像に「9SARI HEADLINE 番外編」があるが、時折、ジャームッシュ的なものを想起したりしなかったりする。とはいえ、彼らがジャームッシュを意識しているわけではないとは思いながら。

（5）前掲『負債論』一四八ページ

（6）同書五八九ページ

11 「力」のための覚醒剤——スパイク・リーのために

『ブラック・クランズマン』（監督：スパイク・リー、二〇一八年）の最後で、プリンスが歌う「Mary Don't You Weep」が流れる。これはプリンスの未発表曲である。プリンスを愛する私は、もう、それだけで泣ける。実はこの曲、プリンス以前から、つまりキリスト者によって、そしてさらに多くの民衆によって一九六〇年代から歌われてきたものだ。シビれる。実はこの歌、ものすごくシビれる民衆の歌だったのだ。岡村ちゃんが「竹田の子守唄」を歌うようなものだろうか。なんか違う気もする。それはそうと、なぜ歌われてきたのか。単刀直入にいうと、神を信じていれば、神は敵を罰してくれるのだ、という内容ゆえにである。では、敵とは誰なのか。端的にいえば、黒人を差別するやつらのことだ。ここで、そのやつらとは誰なのか。そう、「白人」が仮想敵になる。マーカス・ガーヴェイや、ある時期までのマルコムXの名を出さずとも、歴史的にこのことが表象され、社会運動にまでなってきた。同時代のＢＬＭの内部にも、黒人対白人の構図が持ち出されることがよくある。むろん、これはおおむね正しいともいえる。バラク・オバマに至るまで「白人」しかアメリカ合衆国の大統領には選出されなかったし、現在に至っては、平気でヘイトスピーチをまき散らす「白人」が大統領になってしまっているわけだ。そして常に、黒人民衆を殺す警察官は「白人」である。とはいえ、その「白人」とて、かっこにくくられる理由がある。純粋な意味での白人が黒人を殺すなどということは、遺伝情報的には現在ではありえないことがわかるわけだが、理念としてのこの「白人」が敵になっている。

理念としての「白人」がスパイク・リーによってどう描かれるかといえば、それは制度だったり（体制側としての警察官！）、普段の言葉遣いだったり（『パス・オーヴァー』〔監督：スパイク・リー、二〇一三年〕を見よ！）、もろもろで表象される。『ブラック・クランズマン』では、ロン・ストールワースことジョン・デイヴィッド・ワシントンが、コロラドスプリングで初めて任用されたアフリカ系の人間として警察官になり、その警察官としての仕事を任されるなかで物語（とはいえ、多くが実話に基づく）が展開される。そう、「白人」が敵なのだが、その「白人」のなかに黒人が入り込んでいくことで映画が作られているのだ。とはいえ、物語は複雑に作られるわけではなく、いたってシンプルに、しかしとても刺激的に作られていて、こんな映画を作れる日本の監督もいればいいのに、なんて思ってしまったりもする。

ＢＬＭでレイシズムの問題が前景化したなかで、この運動の中心的な問題はなんであるかといえば、反警察の運動であったことも忘れてはならないだろう。こうした背景を念頭に置くことで、いかにその間を縫うように『ブラック・クランズマン』が描かれているのかがわかると思う。そう、黒人警察官がその差別のなかに飛び込んでいくからだ。黒人でありながらも「白人」であることを強いられ、そして、その立場から問題を解決していこうとする。これは、ボルティモアの現在の状況とも重なる。マイケル・ブラウンとフレディ・グレイが警察官によって殺されたボルティモアの状況だ。この土地でBLMは盛り上がりを見せるようになるが、このボルティモアの行政職や警察官、つまりヒエラルキーのうえの人間にも黒人が多い。つまり「白人」的黒人が多いのである。そのなかには当然のように、いいやつも悪いやつもいるのだが、そうしたなかにあって、例えばブラック・パンサー党上がりの人間が転向したりしなかったりなんだりで、この連中が行政職に携わっていたりする。黒人といえども、貧困層だけでなくミドルクラス、あるいはアッパーミドルクラスの連中もいるのがボルティモアなのだ。この状況下、黒人同士でいがみ合うことも当然のように生じてくる。こうなってくると、問題なのはレイシズムだけではない。ヒエラルキーが問題なのだ。黒人の悪いやつが問題なのだ。そうした点を実は扱ってほしかったな、なんて思ったりもしていたが、『ブラック・クランズマン』では、そうした点を扱わず、黒人のいいやつが主人公として登場する。

この間、意図的に「黒さ」を全面的に出したアーティストを挙げれば枚挙にいとまがない。コモンの『ブラック・アメリカ・アゲイン』（二〇一六年）などはそのなかでも突出したものであるだろうし、ディアンジェロに至っては、アルバムのタイトルが『BLACK MESSIAH』でさえあった（そして私はディアンジェロが世界でいちばん好きなアーティストでもある。ただ気分によって、フィッシュマンズになることもあるし、デレク・ベイリーになることもある）。そうしたなかプリンスは、「黒さ」を匂わせながらも、その表象において「黒さ」を全面に出すことはめったになかった（ただ、「めったに」なかっただけであり、黒さの芳香を私たちはいたるところに嗅ぎ分けることができる）。「特異性の論争（コントロヴァーシー）」でも書いたことだが、白と黒がないまぜになり、紫になってしまうような魔法をかけてしまうことができるのがプリンスだった。グレーになるのではなく、パープルになってしまう。すごすぎる。この意味で「ズレ」の天才である。そして後述するように、アナキズムとは「ズレ」の思想である（プリンスをアナキストといいたいわけではない）。

マイケル・ブラウンとフレディ・グレイが殺されたあとに、素早い反応を示して発表された「Baltimore」の曲調も、決して「黒さ」が全面に出ているわけではない。とはいえ、何よりも「黒い」。より別の次元でその「黒さ」を表象しているといってもいい。そこへきて、である。『ブラック・クランズマン』の最後で「Mary Don't You Weep」が流れ、これが未発表曲であることに衝撃を受けた。これか、と。もう泣ける。

この間、先にも述べたように、私の世界で最も好きなミュージシャン、ディアンジェロが『BLACK MESSIAH』を二〇一四年に出した。この年以降、コモンやプリンス、ケンドリック・ラマーだけではなく、ひたすらハッピーなお兄さんで知られるようになってしまったファレル・ウィリアムスでさえ、ＢＬＭに反応を示し、それぞれの仕方で楽曲を発表したり、パフォーマンスをおこなったりしていた。列挙したらきりがないかもしれない。しかしきりがないほど表象されているということは、その問題の重大さが表れているということだ。そして、この間もずっとスパイク・リーはこの問題を掲げて映画をしつこく撮り続けていた。

翻って日本はどうか。ようやく「ヘイトスピーチ」なる言葉が人口に膾炙するようになり、テレビのニュースでもそういった言葉が聞かれるようになった。もちろん尊敬すべき研究やライターの方々の著作などはありながらも、なんだか大きなうねりになっているとは思えない。時の政府をビビらせるほどに至っていない。厚生労働省のクソ官僚が金浦空港で酔った勢いで「あい・へいと・こりあ」と言っていたそうだが、私がヨシフ・スターリンならば、彼など粛清だ。スターリンではないので、粛清もしなければ手を触れることもできないが、ひたすら憤りを覚える。私はどうするべきか。私たちはどうするべきか。

もちろん、敵はこのクソ官僚（だけ）ではない（彼もそうだが、そんなみみっちい相手が敵ではない）。そして、ＢＬＭもレイシズムが問題なのはそうなのだが、実はそれだけではない。ヒエラルキーが問題なのだ。要は、私たちに暴力を振るう警察が問題なのだ。そして警察はなんの手先か。行政である。州である。国家である。民衆を底辺に置くとすれば、国家は頂点に立つ。こうした観点から描かれたものに、すでに「映画のなかのアナキズム」でも取り上げた『金子文子と朴烈』（監督：イ・ジュンイク、二〇一七年）がある。アナキズムがテーマなのだ。正攻法で権力に立ち向かうだけでなく、「ズレ」ながら挑むさまはまさにアナキズムである。予審の途中で金子と朴は二人の記念写真を撮るし、裁判中も、半ば、彼ら・彼女らの結婚式に仕立て上げてしまう抵抗は「ズレ」ている。

もう少しアナキズムの「ズレ」に焦点を当ててみる。鶴見俊輔がアナキズムを語っていくなかで、この「ズレ」を語っている。簡単に要約するとこうだ。アナキズムは実のところ、私たちが近代化や資本主義の生産様式にまみれてしまう以前から実現していた。国家やそれにまつわる諸制度などなくても、私たちはずっと生きてきた。しかし、近代が私たちを蹂躙してきたし、私たちがいまもなお蹂躙されつづけている現状に鑑みるならば、そうした土壌とは異なる世界をいま一度模索してみることが必要なのではないか。鶴見はこう述べている。「国家のになう近代に全体としてむきあうような別の場所にたつことが、持久力ある抵抗のために必要である。二十世紀に入ってからうまれた全体主義国家体制のうまれる以前の人間の伝統から、われわれはまなびなおすという道を、新しくさがしだそうという努力が試みられていい。（略）自然に対する人間のごうまんをこわすべき時が来ているのではないか[1]」

　ほかにも、不可視委員会というアナキスト集団が書いている理論書で頻出してくる概念がある。「脱構成」という術語だ。これは「罷免」なんていう仕方で訳される語である（destitué だ）。含意としては、構成していくようなあり方を不問に付すことだ。構成とは constitution であり、文字どおり「憲法」と翻訳される語でもある。国家を構成するあり方があるとすれば、それに相対的な立場が、反構成的なあり方だ。「脱構成」については「after the requiem」でもふれている。ちなみに、どうでもいいが、anticonstituitionnellement という語は最も長いフランス語である。マジでこんな話はどうでもいいので戻るが、こうしたテーゼに対するアンチテーゼ、そしてそれによるジンテーゼなどという思考の組み立て方は、アナキズムにはなじまない。常に、不問に付すあり方こそアナキズムなのだ。だから、「ズレ」こそとても重要なアナキズムの思想なのだ。

　そう、近代的な制度に対して、それと相対的なレベルで対立や折衝をおこなうのではなく、そうした土壌そのものをひっくり返し、私たちの生に密接なあり方に思考や身ぶりを定位させること。近代的なものとは異なる位相、つまり私たち人間が常に依拠しながら生きてきたあり方に根ざすことがアナキズムのあり方なのだ。「ズレ」の思想。

こうした観点でアナキズムを措定して考えてみると、スパイク・リーの映画は私たちの眼にどのように映るだろうか。銃の問題、女性差別の問題、黒人の問題……これらもまた「ズレ」の射程から考察を与えることができるし、加えてヒエラルキーの頂点とその制度を問題として捉えることができるものだ。

例えば銃規制に関しても、『華氏119』（監督：マイケル・ムーア、二〇一八年）の後半部分がそうだったように、常に銃の暴力と民衆が戦わなければならない状態に対して、セックス・ストライキという仕方で闘争をおこなうという『シャイラク』（監督：スパイク・リー、二〇一五年）がある。シカゴでの銃による死亡者数がイラク戦争での死者数を超えたというデータからまず衝撃を食らうことになるこの作品では、ギャングスタラッパーとその彼女とのセックスが軸になっていて、女性の側からセックス・ストライキを敢行する。このときの女性陣の戦い方は正攻法と「ズレ」がないまぜになっている。女性差別の問題は、この『シャイラク』で描かれているだけでなく、『シーズ・ガッタ・ハヴ・イット』（監督：スパイク・リー、一九八六年）のなかでも女性が男性の所有物などではないという当然の議論をコミカルに描いている。このコミカルさもまた「ズレ」である。そして黒人の問題が彼の作品のなかで一貫したテーマであることは論をまたないだろう。何よりも、『マルコムX』（監督：スパイク・リー、一九九二年）は、これらの論点が凝縮されているどころか、先にも述べたような仕方で理念としての「白人」と闘争を繰り広げる人物に焦点を当てたものだ。『マルコムX』や『ブラック・クランズマン』もそうなのだが、スパイク・リーは、実話がもとになりながらも映画でしか表現できない方法をとるのがうまい。例えば『ブラック・クランズマン』で、主人公の彼女となるパトリスらが取り調べを受ける際にセクハラにあうが、映画の終盤で、そのセクハラをおこなった警官の発言の言質を映画的に一気に展開していく。『THE GUILTY ギルティ』（監督：グスタフ・モーラー、二〇一八年）では、電話越しだけで事件の解明が図られ物語が展開するのだが、『ブラック・クランズマン』でも、KKK（クー・クラックス・クラン）の幹部とほぼ電話のやりとりだけで物語が部分的に展開されていくシーンがある（もちろん、この映画では、電話のシーンがメインではなく、むしろ街頭や潜入捜査といった仕方で、めまぐるしくシーンが展開する）。これは映画のなせる業である。『マルコムX』でも、例えば敵だったはずの白人とともにメッカを巡礼していくシーンがあるが、実際には、白人と見なせるほどの肌の色の人たちに、しかもアラビア世界の要人からマルコムX自体が助けられ、これでもかというほどに様々な経験を積ませてくれるのである。そうしたこれでもか、という実際の話を凝縮して映画で表現していくのはスパイク・リーの業だといえる。

スパイク・リーが黒人問題を一貫して語っているのはいうまでもない。ブラックスプロイテーションの系譜に乗っかりうるし、それをパロっているのは間違いがない。そうしたなかにあって、スパイク・リーは常にWake upという言葉をちらつかせる。その際のまどろみからの目覚めは、どのようになされるべきなのだろうか。スパイク・リーのもくろみたるやなんなのだろうか。

『マルコムX』の描かれ方から少し考えてみる。マルコムXは暴力を肯定したといわれている。スパイク・リーの作品を見ればわかるし、マルコムXの『自伝』を読めばわかるように、ことはそう単純ではない。キングの暴力否定に対するマルコムXの暴力肯定。そんなヤワな話ではない。キングとて、ガンディーに影響を受けながらも、その非暴力直接行動そのものが暴力を帯びていたのは何度伝えてもいいことだろう。警察と仲良くするなどもってのほかなのだ（なんか、みんなこの間警察に甘くないですか。警察と仲良くするなんてもってのほかだと思うことが重要なのではないか）。マルコムXはそうした態度をよりラディカルに示していた。やられたら、ガンディーの精神を常に持ち続けることを鼓舞していた。暴力か非暴力かという問いに対して、「力（パワー）」だとマルコムXは考え続けたのだ。実際の行動に表出される以前の「力」に軸足を置くことで、私たち人間のあり方を捉え直したのである。スパイク・リーがWake upを画面に映すとき、まさに、この「力」を目覚めさせる外部刺激を与えているのではないだろうか。この「力」とは、私たちを常に現実へと作用せしめるものである。そしていうまでもなく、この「力」なくして、私たちは生きることは不可能だ。物理的なこの身体だけで生きているのではない。これに加えて、ドゥルーズ&ガタリならば欲望とでも述べるであろうもの、生の哲学であれば、生とでも述べるであろうもの、これがマルコムXとスパイク・リーの「力」なのだ。暴力に対する非暴力、あるいは非暴力に対する暴力。それらの二項対立とは「ズレ」ていくこと。そこに「力」がある。この「力」を覚醒させるために様々な方法があるのは当然だが、その一つとして確実にいえることは、私たちはそれを映画によって独断のまどろみから目覚めることができるようになるということではないだろうか。スパイク・リーは

「力」のための覚醒剤なのだ。

注

(1) 鶴見俊輔『方法としてのアナキズム』(「鶴見俊輔集」第九巻)、筑摩書房、一九九一年、一一一二ページ

12

チョッケツ、アジア——空族『バンコクナイツ』

「チョッケツ」とは何か。「チョッケツとは、オートバイのスターターの配線を短絡させてエンジンを起動させることを指すヤンキーの隠語[1]」だ。「盗んだバイクで走り出す」という日本で誰もが知る歌のフレーズがある。日本ではこれを誰もが口ずさむ。しかし日本だけだろうか。Kawasakiや Honda、Yamaha のバイクはアジアにあふれている。むせかえるほどだ。アジアにいる人間は総じてチョッケツさせてバイクに乗っているともいえるかもしれない。チョッケツとは生活の知恵だ。日本で当たり前だと思っていることが、実はアジアに満ちている。そんなことはよくある。空族にはチョッケツの想像力が満ちている。そう、私たちの肌感覚から映像への想像力を膨らましていくことが得意な集団が空族なのだ。

『花物語バビロン』（監督：相澤虎之助、一九九七年）、『バビロン2 THE OZAWA』（監督：相澤虎之助、二〇一二年）のモチーフを温めながら、大作が作られた。それが『バンコクナイツ』（監督：富田克也、二〇一六年）だ。いずれも、日本とタイ、そしてラオス、カンボジア、ベトナム（戦争）が舞台である。『バンコクナイツ』は、タイの首都バンコクにある日本人専門の花街にいるタニヤ嬢と、そこに群がる沈没寸前の日本人の映画だ。バブル期やその破綻後であれば、タニヤを描くだけで事足りたかもしれない。しかし私たちは崩壊寸前の日本にいる。この立場から『バンコクナイツ』は描かれている。印象的な言葉がある。「エコノミック、ダウン。メルト、ダウン。エヴリシング、ダウン」。これは『バンコクナイツ』の登場人物オザワがタニヤ嬢の恋人ラックに向けて語った言葉だ。あるいは、オザワがタイで出会った日本人相手のなんでも屋である金城との印象的なシーンがある。それはこんな場面だ。タイ東北部のイサーンのバスターミナルで二人が偶然出会い、こんな会話を繰り広げる。（オザワ）「金城さん、よかったね、お互い日本人で」。（金城）「本当そうっすね」。その後、金城はオザワがいる場所をあとにして、新たなタニヤ嬢を探しにさらなる地方へ向かう。その後ろ姿を見ながらオザワは銃を手に取るまねをして、金城に向かってエアー射撃をおこなう。その際、オザワは「射殺。ボン」と独りごちる。I'm gonna kill Japanese guys mother fucker!

いまだにコロニアルな状況がどこにでも展開されているのがこの世界だ。東南アジアにも日本がある。アメリカがある。アジアがある。世界がある。ベトナム戦争は北ベトナムとアメリカとの戦いだったというだけではない。フランスだって関わっていた。時間軸を巻き戻せば第二次世界大戦では日本も当然のように関わっていた。ラオスは中立国だったのにもかかわらず、ベトナム戦争時の爆撃が数多く落とされ、隠れた戦場になっていた。近過去であればカンボジアは日本の自衛隊が

PKO（国連平和維持活動）で入り込んでいた場所だ。イサーン地方にはラオスからの移民が押し寄せ、そのイサーン地方から、タニヤ嬢としてバンコクに出稼ぎにやってくる。そのタニヤ嬢を日本人が買う。どこまでも密接な関係性がぐるぐるとめまぐるしく繰り広げられる。こうしたモチーフが「バビロン」シリーズ、そして『バンコクナイツ』に一貫している。まさにチョッケツ、アジア。Knahmean?

こうしたアジアとチョッケツしていくことで見えてくることがある。ピーター・ラインボーは「歴史を掘ると民衆史が見えてくる」と述べていたが、その民衆史を掘ることで「革命が見えてくる」[2]。どこにいても、国家がなすことに抵抗し、革命をもくろんでいた歴史は確実に存在する。それはときに不可視だが、どことなく民衆の知恵のなかに引き継がれている。逃亡や移動をする際に足は必要だ。その際に必ずチョッケツは必要だ。あるいは私たち民衆の精神を支えてくれていた民話や神話、語り部が必要だ。パヤナークというイサーン地方のノーンカーイ周辺域、メコン川沿いの伝説がある。龍神だ。この龍神は人間の僧になるべく存在しているが、それをかつてのベトナム戦争時にアメリカ軍が捕獲し殺してしまった。そうであるがゆえにその祟りからベトナム戦争でアメリカが敗北した。あるいはアンカナーン・クンチャイなどの素晴らしい伝統芸能を受け継ぐモーラムがいる。そこで歌われるのは素朴な優しさだけではない。バンコクへ出稼ぎにいってしまった恋人への慕情、悲惨さをイサーン語で独特の抑揚で歌い上げる。これらはいずれも『バンコクナイツ』で繰り広げられる。

国家があろうがなかろうが、私たちはこうした民衆の知恵を有する。この民衆の知恵こそが私たちの生を可能にしてきた。決して国家によって私たちが生きることができていたわけではない。民衆の知恵によってこそ私たちが生きてこられたのだ。こうした知恵はバンコクや東京などの大都市では埋もれてしまっている。不可視の存在だ。それをバンコクから掘り起こし、イサーンへとたどり着く。私たちの生の知恵を求めてイサーンにまでたどり着いた空族の嗅覚はきわめて現代的だ。

空族や彼らのよき伴侶である映像クルー・スタジオ石、そしてヒップホップ・クルーのstillichimiya の拠点のほとんどは山梨県にある。彼らはかつて『国道20号線』(監督:富田克也、二〇〇七年)を撮った。『サウダーヂ』(監督:富田克也、二〇一一年)を撮った。これらの映画もまた山梨という地方の民衆を掘り起こした映画だ。山梨の同時代性を掘り当てたものだ。彼らは山梨を再び掘ると述べていた。[3]

大都市バンコクを日本人の目線で掘ると、イサーンという地方にたどり着く。それでは東京の場合は？ もしかしたらそれは山梨からかもしれないし、はたまた広島からであるかもしれない。私が住まう長崎からであるかもしれない。大阪からであれば佐藤零郎の『月夜釜合戦』(二〇一八年)で民衆の知恵がいたるところで掘り起こされている。あるいは沖縄からだろうか？ はたまた福島から？ 地方から東京を撃つ。打ち捨てられた場所から資本主義を打つ。「潜伏を続けて時期を待て[4]」

注

（1）チョッケツについてほかに参照するならば、例えば以下のものがある。チョッケツ東アジア by 東アジア拒日非武装戦線「「われわれの友へ」、世界反革命勢力後方からの注釈」（「HAPAX」第五号、夜光社、二〇一六年）五四ページや、富田克也／相澤虎之助『バンコクナイツ 潜行一千里』（河出書房新社、二〇一七年）七ページ。

（2）森元斎「書評 山室信一『アジアの思想史脈』『アジアびとの風姿』人文書院」（「西日本新聞」二〇一七年六月二十五日付）を参照されたい。

（3）二〇一七年十二月九日にＹＣＡＭ（山口情報芸術センター）でおこなわれた向山正洋監督『潜行一千里』上映の際のトークイベントでの富田克也の発言。

（4）“DJ KENSEI feat. stillichimiya【PV】Khane Whistle Reprise（ＪＲＰのテーマ）”“YouTube”（https://www.youtube.com/watch?v=ew4LfxsfQTc）［二〇二四年四月四日アクセス］

13

狼の夢／夢の狼――『狼を探して』（監督：キム・ミレ、二〇二〇年）

私たちは狼の夢にとりつかれている。

東アジア反日武装戦線は「狼」「大地の牙」「さそり」とそれぞれ中心をもたない組織として、それもセクトでもなんでもない組織形態として現れた。党の中心や組織の中心があり、そこから下部の細胞に命令系統が伝達されるのではなく、自発的なあり方に徹底的に裏打ちされた人々のつながりだった。むろん、決まりごとはある。しかし決まりごとは、その多くが失敗する。そうではなくて、みるべきは、自発性の発露として、資本主義や国家に打撃を与えようとしたところにある。こうしたあり方を裏打ちする思想には、始まりも終わりもない。普通は組織が主導し、その組織が消えれば終わりである。しかし東アジア反日武装戦線は、姿形を変え、何度でも生まれ変わるだろう。むろん、その方法は爆弾闘争ではないかもしれない。蜂起の形は、この組織形態が融通無碍であるのと同じように、無限に生起するものである。

その一方で、私たちはこの四十年、何をしてきたのだろうか。後退戦ばかりが目につく昨今で、どのようにして攻撃に転じるべきか。レボルト社の「世界革命運動情報」もなく、ゲバラもいない現在。これほどグローバルといわれる時代で私たちは、諸外国の動向をも知ろうとしていない。サパティスタやロジャヴァ革命について、そこの人々とともすれば容易につながることができるのにもかかわらず、その勇気さえ私たちは失っているのではないか。現在できることは、もはや何も残されていないのだろうか。

浴田由紀子らが述べている言葉がある。「革命後の世界」を先んじて実現し、それを生きる。東アジア反日武装戦線は、私たちに多くのことを教えてくれる。日常に潜む革命後のあり方。ともすれば、私たちは革命後も継続するであろう素晴らしい日常に満ちている。もちろん、現在のしみったれた資本主義と日本国家を肯定して述べているのではない。そうではなくて、人々と相互に助け合い、福祉を創設し、喜びを共有すること。これらは、いまも、これからも、人間が生きるうえで必要不可欠なものである。私たちは何をなすべきか。まずは、革命後の世界を探求することから始めなければならないのではないか。

これだけではない。東アジア反日武装戦線は、加害者責任の重要性を常に提起していた。私たちはそこにも身をささげるべきではないか。ここで、大道寺将司の俳句が私たちの心に刺さる。

死者たちに如何にして詫ぶ赤とんぼ(1)

大道寺は「死刑囚である私が作句を喚起されるものといえば加害の記憶と悔悟であり、震災、原発、そしてきなくさい状況などについて、ということになるでしょう」と述べている。八人の死者と三百八十五人の負傷者だけではない。私たち日本にいる人間が国内外でおこなった蛮行をも、もしかしたら背負い続けているかもしれない。獄中で自己批判と総括を繰り返し、省察していた。そのうえで、「赤とんぼ」という革命への意思はいまもなお私たちが共有せざるをえない希望である。もう一つ、胸に秘めておきたい大道寺の言葉がある。

ぼくは先に、ぼくたちが殺傷してしまった方々にお詫びをしなければならないと書きましたが、このような軽い言葉で済まされるべきではないことも百も承知です。ぼくの心中は言葉では表現できませんが、あえて表現すればそのようになる、ということです。また、ぼくの自己批判は、三菱重工爆破の誤りと失敗を克服する闘いをおこなっていくことによって、真に解放されるべき人民のために、人民とともに闘っていくことによって、言葉だけに終わらせない決意でいます。(2)

言葉では反省も革命も言い表せない。言葉を生業にしている私自身にも突き刺さる。いわく言いがたく悶えながら、その一部を言葉や蜂起で表現する。常に完全化しないことはわかっている。しかし、それを探究する不屈の精神が垣間見える。精神は言葉ではない。反省も言葉ではない。人民の解放も言葉ではない。夢が現実になることである。狼の夢は言葉で表すことはできない。しかし、そのイメージを私たちは共有することができる。夢は浮遊し、漂う。この夢には始まりも終わりも、ない。この夢を、私たちは私たちなりにつかみ取って実現していく。抱握し、抱握される。このイメージの濃度が上がり、あるとき突然実現する日がやってくるかもしれない。そのために革命後の世界を、いま生きるべきなのだ。

狼はおそらく私たちのそばにいる。付き合い方ひとつで、咬みつきもしてくるだろうし、懐きもするだろう。狼の夢を共有してくれるようになるかもしれない。夢ではなく、いまここの具体的な私たちのなかに入り込んでくれるかもしれない。

狼は絶滅したのだろうか。夢に狼はいまだ存在している。そう、狼の夢を私たちはいまもなお見続けているのである。

私たちは狼の夢にとりつかれている。

注

（1）大道寺将司『棺一基——大道寺将司全句集』太田出版、二〇一二年、三九ページ

（2）松下竜一『狼煙を見よ——東アジア反日武装戦線〝狼〟部隊』河出書房新社、二〇一七年、一七二ページ

文学篇

14 森崎民俗学序説——森崎和江における「水のゾミア」の思想

いづことか音にのみ聞くみゝらくの島隠れにし人を尋ねん

（『蜻蛉日記』[1]）

はじめに

森崎和江がおおよそ民俗学や歴史学の知見を隠さずに取り入れて文章を顕にするようになったといえるのが『奈落の神々——炭鉱労働精神史』（大和書房、一九七三年）あたりからで、実際一九七〇年代（厳密には一九六九年）から日本海側を中心に旅をするようになっていった。[2] 宗像に移り住んだあとは明示的に民俗学・歴史学の書籍を大いに読解し、彼女なりの「海」の民俗学を書いていくようになる。[3] むろん民俗学とて「アカデミズムや論壇といった場からはつねに遠い場所に身を置いてきた森崎にとって、理論上の整合性や定義づけなどは最初から関心の対象ではない[4]」だろう。哲学者・鶴見俊輔は森崎との対談で、森崎の仕事について「飛び」があることを指摘していた。[5]

森崎自身もそこで「体系的な脈絡はありません」と答えている。脈絡はなくとも、それでもなお森崎なりに迫ろうとした民俗学的な「海」の世界とはなんだろうか。森崎は、宗像を起点にしながら人々の移動、それも「海」を越えた移動に関心を寄せ、その移動も現代のそれではなく、古代からの移動に自分の思いを重ねていた。森崎自身が朝鮮半島南部に生まれ、福岡と行き来していた。東アジアの北や南へと移動していった人々の流れを近過去だけでなく古代の海民や、ともすれば逆賊（俘囚など）を追うことで、森崎による「海」の民俗学思想が浮かび上がってくる。森崎はこのように述べている。

私には古代信仰というものはないが、遠い昔から伝承された生死にかかわる感覚的な認識のいくらかは、いまも自分のうちに伝わっているのを感ずることができる。そして神話や伝説や民間伝承の、ある部分には、異常に反応するのを知っている。それは私の個人的なかたよりなのだろう。が、また同時にそれは、共通の文化をもつもろもろの女たちが、有形無形に伝承してきた何ものかであることを感ずるのである。

私には民俗学とか民間伝承というものは、結局は個的体験即他者体験とでもいった、生死を超えて他のものと内的なかかわりをもつことに対する感動の証明のようにもみえる。[6]

自らの行き方来し方をたどるために、民俗学や歴史学は読まれることがあるだろう。自分が来た道には何があったのか、自分が住まう場所には何があったのか、自分が行くところには何があったのか。「なぜ「こう」なのか」[7]。自らが経験していることは、実は同じような仕方で同時代の他者も、あるいは過去の他者も経験していることがある。いまを生きる者が歴史を掘ることで過去とつながることがある。あるいは自分が「こう」なのは、過去も「こう」であることがある。時間的・空間的には果てた先を見つめながらも、実は過去は、いまここにある。「こんな身近かに古代があるのか」[8]

ここでは、森崎を参照しながらも、森崎が触れている「海」についての民俗（歴史）学的な資料を取り上げ、森崎民俗（思想）学を（再）構成し、森崎の民俗学的な思想を「飛び」上がらせることを目的とする。

森崎のモチーフ

森崎が「海」に引き付けられるようになったのは、もちろん幼いころからの記憶もそうだが、やはり「戦後、私は日本で生き直して我が原罪を超えたい」[9]という意識が強いからだった。帝国が植民地を陵辱していくなか、「海」の向こうで植民者の一人としてその地に生まれ育った森崎は、自らが置かれた立場の確認、陵辱されていた人々の立場の確認、国家・資本レベルでの往来だけでなく、民衆同士の往来の確認、そしてそのうえで自らはどのように生きるべきなのかの確認があったと思われる。これらの確認のための対象が「海」だった。例えば森崎は韓国での旅で、学校教師だった亡き父の教え子たちとの会話からこのような言を引き出していた。「必要なことは、一見、加害・被害関係にあるかにみえながら実態はそこにとどまってはいないものが、一筋の歴史を生み出すということ、それを今ここで確認しあいたいということです」[10]。ほかにも、戦後丸山豊に出会って個人詩誌「波紋」を刊行していくのだが、その動機と思われるものに、「原罪意識」についての丸山との会話がある。「和江さんは原罪意識がつよいね。それは植民地体験からきたの？／ぼくも……」[11]。決定的な森崎の言質としては、以下の言葉が挙げられるだろう。

引揚げ以来、身にしみてつらく思ってきたのは、植民地で生まれ十七歳まで育った私が、日本や近隣アジアの歴史を知るにつれて、いっそうありありと、わが魂は朝鮮海峡の波間を今もただよいつづけている、と感じることだった。くりかえし海辺の浦々へと旅してしまうのも、そして韓国への訪問を重ねるのも、私の肩で世の中を見ていくと遺言したからゆきさんのお落とし子の彼女と、二人連れで、わが原郷といえる原日本の精神界を探しあて、あの波間の魂を呼びもどしたいからにほかならない。[12]

引き揚げの際に落としたかもしれない森崎の魂は、いまも「海」に漂っているのかもしれない。弟の自死、「無名通信」時代の仲間の強姦殺人、そして「死んだらあなたの肩にのっかって一緒に生きる」[13]といった友人の死。それだけではない。母の死、父の死、戦争によって殺されていった、朝鮮半島と日本にいた人々の死。その魂が「海」に漂っているかもしれないと、「飛び」の思想はここから森崎にとってさらなる飛躍が訪れる。

「海」の浦々を旅するなか、宗像の鐘崎の海女集落に話を聞きにいっていたときだった。宗像で戸建ての分譲の話を聞き、そこを拠点に思考を展開していく決意が訪れた。森崎はこう述べている。

整地が終わって宅地への分譲が始まったら、このあたりでしばらく落ち着きたい。私は宗像神郡として藩制期の間も東側にひろがる小倉藩にも西側の黒田藩にも領有されることなく、古くからの宗像海人族として航海や潜水漁を中心に生活してきたという伝承を持つことに心惹かれていた。記紀神話に語られる三女神の話や沖ノ島の祭祀遺跡に新羅の金の指輪が出土していることも時間がゆるせば読み返したい。宗像は、国史上に胸肩君の名があるように、古くから開けた地域だった。また胸肩とは潜水漁の折の入れ墨の名残りだとの説も面白い。(14)

藩制期にも、どこでもない場所としての宗像が存在していた。古代から海民が住まう場所としての宗像。ここを軸に「海」を思考できるかもしれない、そういった決意の表れでもある。この「海」は対馬や朝鮮半島南部、済州島とも深くつながりがある。海民も宗像だけではなく、安曇や住吉もいる。福岡だけでなく北部九州に射程を広げれば松浦党はもちろん、考古学的な射程も含めれば縄文にまで至る。宗像の沖にある大島には古代の陸奥の俘囚と呼ばれた安倍宗任の墓もあり、(15)宗像を起点に日本列島の北まで射程が延びてくる。宗像や北部九州を軸にしながら神話などを媒介に、国民国家の歴史が記述してきたものとは異なる、森崎民俗（思想）学をみることにしよう。

海をまたぐこと

森崎は次のように述べている。

> 私が、からゆきさんの子として生まれ玄界灘を往来していたという友人にさそわれて、小屋がけのサーカスを子連れで眺めた浜は、やはり海人族由来の浜だった。が、そのあたりの浦の海人族は安曇族。綿津見三神を志賀島で祀る。さらに住吉三神が福岡市博多区の住吉神社に祀られる。いずれも海の神。記紀に記されていた。(16)

北部九州、例えば福岡県に限っても、海岸沿いに北から和布刈神社では安曇族系の神話、岡湊神社では鰐族系の神話、ほかにも織畑神社から鎮国寺、宗像大社沖津宮、中津宮、辺津宮の三宮は宗像五社として宗像族系の神話、そこから宮地嶽神社や香椎宮では神功皇后系の神話、志賀海神社では再び安曇系の神話などが残っている。はたまた森崎も述べるように住吉神社など数々の海に面した、あるいは海から直接行くことができたであろう場所に海人族のセンターがある。いずれも全国規模に広がる同型の神話がある。福岡から西へ糸島方面に行くと再び安曇系の神社などがあり、海民がどれほどいたのかがわかる痕跡がいまもある。そのまま佐賀県や長崎県、そして五島列島にも数多く同型の神話群や習慣が分布し、海民の移動は「海」を通じてかなりの広がりがあることがわかる。ただ、福岡北部にくると、時折大和朝廷の神話が重なり（多くは神功皇后の神話）、神話そのものがもっていた話の内容がわかりにくい。しかし、福岡からさらに北へ行った対馬に至ると、神話その古層が見えてくる。つまり、神話としてもそのプロトタイプが数々残っているのである。とりわけ、対馬の南部にある豆酘の天童信仰と和多都美神社の神話がわかりやすい。いずれも太陽信仰があり、女性崇拝、スーパーボーイ（天童や安曇磯良など）、そして漁と稲作が基本的に関わる。そのバリエーションで製塩や牛や馬を育てる生業や家船もさることながら、そこから山への信仰などが加わり、原型を保持しながら、それらが対馬から北部九州、そして日本列島の各地へと伝播している。[17]

ここから想起できるように、海民の仕事はそもそも漁一択ではない。網野善彦が指摘しているように、「百姓」である。百姓を農民として捉える意味合いが広がったのは江戸後期でしかなく、それ以前では、漁撈はもとより製塩、海や川のロジスティクスを担う仕事（のちの廻船など）、そして農業や馬や牛の養育に携わる者もいた。[18] この習慣は、北部九州だけではなかった。

こうした習慣はどこからきたのか。ここでは、ひとまず、海民を「倭人」[19] と捉え、その先祖をたどってみよう。古い年代のものだと一万二千年前ほどの豆粒文土器が佐世保市で見つかっていて、似たようなものが鹿児島市でも出土している。ほかには縄文時代前期の曾畑式土器が熊本県の宇土の貝塚で見つかっている。この土器は九州だけでなく、山陰や沖縄諸島、そして朝鮮半島南部にまで分布している。[20] 東三洞貝塚（朝鮮半島南部）のものと曾畑式土器はほぼ同じような共通点が見られ、文様や器の形だけでなく、使われた年代もほぼ同じだったことから、交流があったことがうかがわれる。近年さらに豆粒文土器ときわめて似ている特徴の土器が、揚子江がある江西省で見つかったとされ、それはおよそ二万年前のものであり、現在のところ世界最古のものとされている。

ほかにも、海民らしい習慣が縦横に移動し伝わっている。浙江省（揚子江の南、上海の南、現在の寧波などの都市がある）の海沿いの人間は文身といって、顔や体に入れ墨があった。漢民族とは異なり、越人などと呼ばれ、揚子江から福建省あたりまでの河川や海岸地域に住まう人々だった（紀元前七七〇年ごろの記述）。その越人らと交流していた倭人もまた全身に似たようなタトゥーを入れていた。安曇一族はかつて、安曇族の先祖である安曇磯良の体中に牡蠣などがくっついている様子を模したタトゥーを入れていたとされる。むろん、推測の域は出ないかもしれないが、海人族としてのタトゥーはある種のつながりがあるように思われる。[21]

また現在は中国南西部に住むミャオ族などの非漢民族系の人々がかつて揚子江河口地域に住み、そこで稲作の技術体系を開発し、北部九州に伝えたとされている。[22]

とりわけ揚子江付近の非漢民族はその後漢民族に追われ、南部や山岳地帯、そして海へと抜けていった。山岳地帯へと行ったものはゾミアとなり、一方で海に抜けていった一部の民は北部九州の海民である可能性は大いにある（倭寇などの海賊になった可能性もある）。また漁撈以外のつながりとして、済州島と五島列島、松浦や伊万里、雲仙には同型の習慣がある。海での生業だけでなく、牧場を整備し、騎馬隊を有していた。船にも馬にも乗っていたし、また牛をも生育していて、倭寇に参加していたという記述もある。[23]ほかにも家船の風習がある。家船とは「船を家とし、土地をもたず、もっぱら漁獲物を食料と交換しながら、一定の海域を年中移動している夫婦単位別世帯の漁業者またはその集団のことである」。[24]済州島などの朝鮮半島南部から長崎の大瀬戸、平戸、広島の三原や竹原だけでなく、現在は茨城県の霞ヶ浦のほうまで家船の習慣がある人々がいた。朝鮮半島南部では、こうした国家に属することがない人々への対処に国家が手を焼いていたそうだ。この家船の習慣をもちながらも次第に陸地に揚がり、その一方で生業としての海女や鯨漁などを、引き続きこの「海」を挟んで多くの海民が共通しておこなっていたのは偶然ではない。

東の果ての海民の神話

ここでは記しきれないほどの数多くの同型の神話や習慣が「海」を挟んでおこなわれている。ここから対馬、北部九州、そしてそこからさらに日本列島を移動してみよう。

その前に、ゾミアの民の太陽の神話へと迂回しよう。太陽にまつわる神話は世界中にあるが、その形を確認したうえで、日本列島の神話をみてみよう。ゾミアの民の神話では、太陽がいくつも出てくる世界が想定されている。これはつまり、高温多湿な環境に苦しんでいたということだ。そこで一人の人間がこの苦しみを取り除くべく、太陽に立ち向かう。矢を放って、太陽を一つだけ残し、快適な世界を作り上げたという神話。これと同型の太陽を撃ち落とす神話をもとにした儀式が志賀海神社にも見いだすことができる。例えば正月におこなわれる歩射祭(びしゃまつり)である。弓矢を持つ射手は的を射るのだが、その的とは太陽なのである。つまり、快適な環境作りのためにいくつもある太陽を撃ち落とすのである。

この太陽をめぐる神話はほかにもある。簡潔化されたものを引こう。

ある日、一人の美女が野原(または海岸)で、昼寝をしていた。気持ちがよかったので、すっかり裾がはだけて、秘所がさらされているのも気づかずに、眠りこけていた。それを太陽神が天空から見そめて、ステキだと喜んだ。太陽は美女の秘部目掛けて、光線に乗せて自らの精を注ぎ込んだ。美女は懐妊して、立派な男の子を産んだ。この子はのちに、神のごとき活躍をする英雄となった(25)。

この簡潔化したプロトタイプのバリエーションに天道法師と安曇磯良の神話がある。天道法師の神話は、対馬の豆酘ではこうだ。豆酘の村に照日長者がいて、その長者の娘が美しく、その美貌から都の召使になった。その後、都で出会った貴族にみそめられ、その女性が産んだのが天道法師という話である。この天道法師は祈禱によって病を癒やし、その祈禱によって政治的な力をほしいままにしたという（対馬の一地域を自治的なアジールとした）。安曇磯良の神話はこうだ。海の女神である豊玉姫が、太陽が昇る山（あるいは陸）の人と結ばれ、それによって生まれたのが安曇一族の先祖とされる磯良である。海と陸の境界領域に住み、海では磯を泳ぎ、陸に揚がる際には、顔面についた牡蠣やフジツボを隠すために布を垂らして顔を隠していたという。この磯良は航海技術に長けていて、ときに神功皇后を案内し、ときにヤマトの征服から逃げ出すために日本各地へ「海」を通じてディアスポラになっていった。

網野が能登半島で、海のつながりから舳倉（へぐら）島（海士町という地名がある）を含め調査をしていたが、宗像の鐘崎の海女とも現在に至るまでつながりがあるその半島には、志賀町や住吉系の神社があり、北部九州からの海民の往来があったことがわかるという(26)。このほかにも、数多くの海人系のセンターが日本各地に散らばった。むろん、伊勢神宮のように、前述したプロトタイプの神話に対して、明らかに政治的な反映や権威主義的な意向を重ねて転換させられてしまった神話もある。しかしながら、伊勢を過ぎると、再び海人族系の神話に戻り、そしてまた北上していくと八幡信仰などに吸収されていく。転換していく神話に、実は一貫した随伴者がいることも注目すべきかもしれない。揚子江から塩釜まで「海」の随伴者がいたのだ。鵜である。森崎は「飛び」ながら、鵜の話を引いている。

トヨタマヒメ、子産む時になりぬ、海の渚に鵜の羽をかやにして産殿(うぶや)を造り……

海女家族は流木を集めて片部屋の小屋をこしらえてアワビを採った。「上海女(じょうあま)にはいっぺんになれるもんじゃなかよ」。アワビは干して上納した。いつのころからか、のしアワビを作りそれは都へ運ばれた。[27]

森崎のこの文言から注目すべきは二点である。一つは鵜である。もう一つは、後述するように、ときに権力とも付き合うというところだ。

この鵜だが、これまた揚子江下流域に住んでいたミャオ族が川の漁で鵜飼いを発達させていたという。[28] この潜水鳥は安曇系の豊玉姫出産の神話にも、鵜の羽として出てくる。むろん多産の鳥の象徴であるとともに、常に鵜がそばにいたということがわかる。この鵜飼いは揚子江から済州島へ、そして北部九州に到達し、日本各地へと広がっていった。空中・水面（地上）・水中という三層にまたがるこの鳥の痕跡は、北部九州から角館に至るまで日本列島の全国百五十以上の場所に残っている。川に住む「海」の民は鮎などを取り、それらを自らのタンパク源にしていたし、ときに天皇に献上する品物にして生きてきた。

水のゾミア

「海」の民とて、ときに王権におもねることがあるのも事実である。谷川雁が「朝鮮よ、九州の共犯者よ」[29]で述べたように、王権もまた大陸や朝鮮半島から入ってきたことは事実だろう。「海」をまたいで彼らもやってきたのだ。しかしながら、森崎はそうしたなかにあっても、「海」を行き来する人々に引かれ続ける。それは王権を拒否してきたであろう「海」の民なのかもしれない。

時折、ここで揚子江にも触れたのは、ゾミアの視点をここで導入していきたいからである。ジェームズ・C・スコットはこう述べていた。

海に生き、列島を渡る東南アジア島嶼部のオン・ラウト（海の遊牧民、海のジプシー）が避難民の海域版であることは明らかだ。多くの山地民がそうであるように、かれらもまた戦闘に長け、海賊行為、奴隷狩りを営むこともあれば、海域警備隊もしくは攻撃員としてマレー王国に使えることもあり、自らの立場を軽快に変えてきた。重要な海路の端に位置取り、突如出現しては攻撃を仕掛け、そして足速に消え去っていくこの人々は「水のゾミア」を想起させ、本書の議論としてまさにふさわしい。[30]

漢民族に征服されたミャオ族などの百越は、各方面に逃散していった。山岳地帯へと向かったのはスコットが詳細に研究しているゾミアである。その一方で、スコットが調査しようと試みたものの、十分に研究しきれていない領域がある。それが「海」や「川」である。「海」にもまたゾミアがいた。基本的には国家に抗する社会を成立させていった人々である。むろん、時折王権にも従うことがあった。だが、その枠のなかでも常に王権に従っていたわけではなく、その枠外の幅で大いに生き抜いてきた人々がほとんどだった。陸のロジックからすれば、その知恵は突発的に見える。しかし水のロジックからすれば、陸ほど国家的でヒエラルキーと負債に満ちた世界はない。言葉が通じない人々と「海」や「川」で出会い、そこで民主主義的な議論が展開していったことは想像に難くない(31)。そこでは、人が人らしく生きていくための知恵に満ちた世界が広がっていたのではないか。上意下達の命令システムが恒常的にはたらき、現場の流動性を何も担保しない国家は、私たちの生に全く密接でないどころか、収奪と殺戮を繰り返す戦争マシーンと化しているのが現状である。

漢民族の国家を離脱し、国家なき社会を山岳地帯と「海」に求めて逃散していったゾミアは、朝鮮半島南部や五島列島、そして北部九州にたどり着き、そこから日本列島各地へと流れていった。私たちが住まう領域に確実に広がり、様々な富をもたらしてきていた「水のゾミア」は太陽を信仰し、女性を中心に据え、様々な生業をもとにして、この東アジアの海域を自由に生きてきたのだ。森崎はこう述べている。

なぜ海辺なのか、自分でもよくわからない。きっとあちらこちらにいるにちがいないけれど、海辺はこのくにの国境だし、海は人の心を解放してくれるから。だから暮らしのままにまに自在なイメージを育てるだろう。それに私自身、海に縁がふかい。こんな心境は、波とたわむれながら養われた気がする。海辺は、日本とか天皇とかにさっぱり縁がないものたちの暮らしが、夜光虫のようにきらきらしている思いがするのだ。[32]

森崎が、そして私たちが「海」に引かれるのは、まさに「水のゾミア」が自由を求めたことと同型だからなのではないだろうか。

冒頭の『蜻蛉日記』で記されている「みみらく」とは、異界との境界領域である。五島の三井楽のこととも捉えることができる。いずれにせよ、都からすれば遠く離れた場所に住まう人々のこと、ともすれば死者を思う歌である。自由は遠くからやってきて、いま私たちは死者を、自由を思慕している。なぜ「こう」なのか。私たちは森崎とともに「海」を、自由を思考する。

注

(1) 今西祐一郎校注『蜻蛉日記』(岩波文庫)、岩波書店、一九九六年、六二ページ

(2) 例えば森崎の記事にはこう記してある。「「原罪意識をはぎ取るため」に作家となった森崎さんは、一九七〇年代、福岡から北海道まで日本海に沿って、方言で話している人を訪ね歩いた。「日本海側を旅したのは、生まれ育った朝鮮半島を対岸に感じていたかったから。方言で話す人を尋ねたの

は、日本の様々な地域で暮らす方言で話す人に会い、その地域独特の文化に触れることで、日本を知ることができるのではと思っていたから。そして、日本を知ることができれば、〝一人の日本人女性〟として生き直すことができるのではと思っていた。一人の日本人女性として生き直し、彼らに謝りたいと思った」からだ」（森崎和江「日本の女性として生き直したい」福岡県男女共同参画センターあすばる〔https://www.asubaru.or.jp/92348.html〕［二〇二二年九月六日アクセス］）

（3）むろん、書籍だけでなく、売文業、あるいはテレビ番組やラジオ番組制作で（つまり、日銭稼ぎのための仕事）も、「海」を移動していく作品を作る。例えば、RKB毎日放送ディレクター木村栄文との作品である『祭りばやしが聞こえる』『草の上の舞踏』である。『祭りばやしが聞こえる』では、「福岡市筥崎宮の放生会で見た露天商に驚き、木村さんへ／テキヤさんの仕事を追って、鹿児島県宮乃城町の人形市から出発／九州のテキヤさんの親分野田発次郎氏の自宅訪問をともにし、北海道の祭りへと同行」（渡辺考『もういちどつくりたい――テレビドキュメンタリスト・木村栄文』講談社、二〇一三年、一八〇ページ）とメモがあり、実際に作品内でも縦横に北へ南へ同行している。

（4）大畑凜「解題 弁証法の裂け目」、森崎和江『非所有の所有――性と階級覚え書』所収、月曜社、二〇二二年、三一八ページ

（5）鶴見俊輔／森崎和江「自分の立つ場はあるか」（鶴見俊輔『国境とは何だろうか』〔鶴見俊輔座談〕、晶文社、一九九六年）二七一ページ以下を参照。

（6）森崎和江『精神史の旅4 漂泊――森崎和江コレクション』藤原書店、二〇〇九年、二八三ページ

（7）森元斎『国道3号線――抵抗の民衆史』共和国、二〇二〇年、九ページ

（8）森崎和江『北上幻想――いのちの母国をさがす旅』岩波書店、二〇〇一年、一〇八ページ。ほかに

も、初発の動機めいたものとして「森崎」姓がどこからきたのかという手紙のやりとりを故アレクサンダー・スラヴィク（ウィーン大学日本文化研究所所長）とおこなうなど、一九七〇年代から民俗学・歴史学への関心が高まった起因がある。

（9）森崎和江『いのちへの旅——韓国・沖縄・宗像』岩波書店、二〇〇四年、七ページ

（10）森崎和江『草の上の舞踏——日本と朝鮮半島の間に生きて』藤原書店、二〇〇七年、三五ページ

（11）森崎和江「『母音』のころ」、丸山豊『月白の道——戦争散文集』（中公文庫）所収、中央公論新社、二〇二一年、二七三ページ

（12）前掲『北上幻想』七六ページ

（13）同書一九ページ

（14）前掲『いのちへの旅』二一ページ

（15）この点についてはこれ以降の節で触れることができなさそうなので、森崎の言をいくつか引いておく。「その墓の主は、この列島の国史上に蝦夷と記され賊軍討伐の水軍陸上軍をくりかえし大和から送り込まれた北東北の山人。生き直したい私が夢みる母国の基層をながれるいのちの物語りとして、沢吹く風のように語り伝えられてきた安倍族の一人である。海人族の先人たちと呼応する古代の積雪の山嶺に生きた、この列島の先人。潮の時間も山嶺の時間も知らない私の旅心」（前掲『北上幻想』一〇二ページ）。ほかにも同書一五六ページ以下にも宗任について『筑前風土記』に触れ、宗任の三人の子の長子が松浦に渡り松浦党の祖になったこと、次男は薩摩に渡ったこと、三男がこの大島に渡ったことなど、ほかの伝記や記録にもあたって異説についても若干の検討を加えている。

（16）前掲『北上幻想』一〇四ページ

（17）例えば中沢新一はこう述べている。「アズミ族の移動や活動の痕跡は、地名、神社、神名、家系、

祭りの様式などから、推測できる。まず地名からいくと、アズミから直接派生した安曇、安積、温海、渥美、熱海などをあげることができる。安曇と書いて「アドミ」とも読ませるので、そこから弥富などという地名も、派生している。／海人族から派生したところでは、海人、海部、海部、海士などがあり、アズミから音韻変化した泉、和泉、出水、飯泉、稲積、伊豆見なども、これに含めることができるという説もある」（中沢新一『増補改訂 アースダイバー』講談社、二〇一二年、二八八ページ）

（18）例えば、網野善彦／谷川健一／荒野泰典「海と列島文化 月報8」一九九二年、六ページ以下を参照。ほかにも、網野善彦『日本社会再考――海からみた列島文化』（〔ちくま学芸文庫〕、筑摩書房、二〇一七年）五四、二三二ページ、網野善彦『海民と日本社会』（〔新人物文庫〕、新人物往来社、二〇〇九年）三〇三ページ以下、などを参照されたい。

（19）中沢新一『アースダイバー 神社編』（講談社、二〇一二年）四八ページ以下を参照。

（20）下川達彌「考古学からみた海人文化」（網野善彦責任編集『東シナ海と西海文化』〔「海と列島文化」第四巻〕所収、小学館、一九九二年）八六ページ以下を参照。

（21）上野武「太伯と徐福――移住者伝説の語るもの」、同書所収、一三一ページ

（22）安志敏「東シナ海からみた吉野ヶ里遺跡」（同書所収）五二ページや、前掲『アースダイバー 神社編』四八ページ以下を参照。ほかにも、谷川健一はこう述べている。「漢の武帝が南越を征したあと、飽くなき漢人の誅求をのがれた百越（中国南部に住んでいた民族の総称）の民は、黒潮に乗って九州西海岸の南と北へ渡ってきた。黒潮は屋久島の沖で二つに分かれ、その一つが北上して対馬海峡に向かっているので、南・北九州に着くのはほとんど同時である。その北九州に着いたものが阿曇族であり、南九州に着いたものが隼人族ではないか、と滝川政次郎はいう。納得できる推論で

ある」（谷川健一『古代海人の世界』小学館、一九九五年、一〇〇ページ）

（23）網野善彦「西海の海民社会」、前掲『東シナ海と西海文化』所収、二九ページ、高橋公明「中世の海域世界と済州島」、同書所収、一九七ページ

（24）前掲「中世の海域世界と済州島」一八二ページ

（25）前掲『アースダイバー 神社編』二四八ページ

（26）前掲『海民と日本社会』を参照されたい。

（27）前掲『北上幻想』八八ページ

（28）前掲『アースダイバー 神社編』三四一ページ以下を参照。

（29）谷川雁、岩崎稔／米谷匡史編『原点の幻視者』（［谷川雁セレクション――〈戦後思想〉を読み直す］第二巻）、日本経済評論社、二〇〇九年）二三九ページ以下を参照。

（30）ジェームズ・C・スコット『ゾミア――脱国家の世界史』佐藤仁監訳、池田一人／今村真央／久保忠行／田崎郁子／内藤大輔／中井仙丈訳、みすず書房、二〇一三年、xvページ（James C. Scott, *The Art of Not Being Governed: An Anarchist History of Upland Southeast Asia*, Yale University Press, 2009, p. xiv）

（31）「あいだ」あるいは「余白」でこそ、民主主義が展開されていくという点については以下を参照。デヴィッド・グレーバー『民主主義の非西洋起源について――「あいだ」の空間の民主主義』片岡大右訳、以文社、二〇二〇年（David Graeber, *There Never Was a West: Or, Democracy Emerges From the Spaces In Between*, The Anarchist Library, 2007［https://theanarchistlibrary.org/library/david-graeber-there-never-was-a-west］［二〇二四年四月四日アクセス］）。あるいはまさに「海」の民である海賊については以下を参照。ピーター・ランボーン・ウィルソン『海賊ユートピア――

背教者と難民の17世紀マグリブ海洋世界』菰田真介訳、以文社、二〇一三年（Peter Lamborn Wilson, *Pirate Utopias: Moorish Corsairs & European Renegadoes*, Autonomedia, 1995)。ここではわざわざ参照していないが、大前提になっている「寄り合い」についての宮本常一『忘れられた日本人』（岩波文庫、一九八四年）での記述は、民主主義の形態として検討に値するだろう。

（32）前掲『精神史の旅4 漂白』一〇ページ

15 瀬戸内寂聴のアナキズム

はじめに

恋は桃色（by細野晴臣）なのではなく、たぶん、恋は革命なのである。

瀬戸内寂聴にとってアナキズムはどのように受け入れられていたのだろうか。アナキズムとひとくくりにする場合、ここでは「支配がない状態」とでも理解したほうがいいかもしれない。広い意味で「主義者」の、それも女性を扱い、そのなかでも「恋愛」を軸にアナキズムを描いたのが瀬戸内である。

もちろん、恋愛ひとつとっても、家父長制がいまだに色恋、じゃなくて、色濃いこのクソみたいなポンニチ的状況では多くの場合、女性が我慢を強いられることが多い。専業主婦なるものがいまだに存在し、好き同士になって「結婚」なるものをしたのにもかかわらず、男性側の「戸籍」に入るだの、姑からいびられるだの、夫婦別姓に対する根拠なき反対の憂き目に出合うだの、それどころか、ともすれば女性を親や親戚が決めた結婚のルートに乗せようとするなど、九州の片田舎に住んでいる私にとってはいまだによく聞く話である。恋愛なんか、できっこないのが現状である。自分自身でいることなど不可能なのが現状である。

瀬戸内に戻ろう。主義者たちを扱ったものに管野須賀子（と荒畑寒村や幸徳秋水）・伊藤野枝（と大杉栄）・金子文子（と朴烈）が挙げられる。いずれの女性も、自分自身の仕事を生きた思想家である。そのときに、たとえ妻子ある男性と恋に落ちようとも、そして当時（いまも？）の女性への「社会」からの風当たりが強くとも、自分自身であることを肯定することができるのであれば、反「社会」的でかまわない。そこにアナーキーが浮かび上がる。「自分自身を生きること」は、たとえ恋愛に焦点が当てられていようとも、瀬戸内の作品群を初期から貫く一貫したテーマであり、私たちはヘテロだろうがシスだろうが、なんだろうが、瀬戸内作品から元気をもらえるゆえんである。

アナーキーin管野

瀬戸内は『遠い声』（新潮社、一九七〇年）で管野須賀子を描いた。伊藤と金子についての書き方と異なるのは、常に主語が「私」という点にある。ともすれば、瀬戸内の言葉なのかもしれないし、そうではないかもしれない。石牟礼道子や昨今では五所純子の書き方にも連なると思われる。いずれにせよ、登場人物と作者の思いがないまぜになりながら、この世界に対する憤怒や愛が描かれていく。

管野自身は十二歳まで裕福な家庭で育っていたものの、母の死後、継母による壮絶ないじめの体験にあう。継母の手引きから炭坑夫が自宅に入れられ、そいつからレイプされるなど、ひどい仕打ちを受け続ける。東京で結婚生活を送るものの、小説家になりたいという思いから有名作家に弟子入りし、その作家と不倫。キリスト教の洗礼を受け、廃娼運動に乗りながらも、自分自身の不倫関係にも嫌気がさし、そんな社会の不条理さに打ちのめされているなか、堺利彦と出会う。管野は堺からすべてを肯定されていき、次第にいわば社会主義によって救われていった。宗教ではなく思想によってこそ、この社会のあり方の変革の可能性を感じたのだ。

管野は肺結核を患ってしまうも、新たな恋に目覚める。荒畑寒村である。和歌山県田辺市の牟婁新報社に堺の紹介で勤めていたときだった。荒畑は堺らとともに「平民新聞」という新聞を作っていたのだが、その当時、荒畑が和歌山に派遣されていた。管野は姉妹と荒畑とともに、幸福な生活を送った。やがて荒畑は東京に帰ったので、そのあとを追うように管野も東京へ向かった。東京で荒畑と生活するようになったものの、和歌山生活での幸せな恋心は目覚めない。そうしたなか、社会主義のスーパースター幸徳秋水が東京に戻ってきて、ふとしたきっかけでこの二人は恋仲になっていくのだ。このあとの荒畑の嫉妬劇もすごいが、ここからの革命家の道をひた走る管野の勢いも、ものすごい。幸徳との恋は革命と猛烈に結び付いていく。天皇暗殺計画に乗るも、もちろん、でっち上げの罪状からいわゆる大逆事件にまで管野らの思想や活動が断罪されていく。「魔女」のような女性として表象され、社会によって殺されていくさまは『キャリバンと魔女』を想起せざるをえない。

シルヴィア・フェデリーチ『キャリバンと魔女』では、魔女狩りと資本主義の生成とがセットで語られる。女性を再生産労働に従事させたい資本主義のロジックからすれば、魔女は立派な仕事人である。そのため、じゃまな仕事人は抹殺しなければならない。魔女狩りである。資本主義が広がるところでは魔女狩りが横行していった。同じように、管野（も伊藤も金子）も国家が定める貞淑な女性像を大きく逸脱しているがゆえに殺された。右翼イデオロギーにまみれたヘテロ男性は、女性を所有物としてしか見なさない。ともすればセックスの対象でしかない。あるいは市場の外側に追いやられた「コモンズ」でしかない。そんな女性が天皇を殺そうとし、男性を弄ぶように自由に恋愛を楽しむなどもってのほかである。だから管野は殺されたのだ。

アナーキーin伊藤

『美は乱調にあり』（文藝春秋、一九六六年）、『諧調は偽りなり』（文藝春秋、一九八四年）で伊藤野枝が描かれている。福岡の今宿で生まれ育った伊藤は、その地での幼少期の出来事について、のちに「無政府の事実」という文章で書き残しているように、国家などなくとも相互扶助によって慎ましく生活する民衆の存在をクローズアップしている。そんな伊藤は、本人の意思とは別様に無理やり結婚させられた。その結婚から逃れるように、勉学に励み、辻潤のもとへ行った。辻を愛してやまない伊藤は、途中浮気心が芽生えながらも、一心不乱に辻との生活を謳歌した。そんな折に辻の浮気を知った伊藤は、ひそかに焦がれていた大杉栄のもとへ生まれたばかりの子どもとともに向かった。そのころには大杉への愛に満ちていた伊藤は子どもとさえ別離したうえで、大杉の胸へと飛び込んでいく。大杉は大杉でフリーラブを堀保子・神近市子・伊藤野枝に説いているなかで、有名な日蔭茶屋事件が勃発する。神近は嫉妬から大杉を襲い、刃物を大杉に振るったのである。ここへ至る過程について、三者三様の心の揺れ動きを『美は乱調にあり』で瀬戸内はうまく描いている。その続篇ともいえる『諧調は偽りなり』では恋愛関係だけでなく、日蔭茶屋事件以降の大杉と伊藤、そして橘宗一が殺されるまでを追って書いているが、やはりそこでも伊藤をはじめとして、そこで揺れる心のあり方が瀬戸内によって描かれている。面白いのは、ともすれば、辻も大杉も、社会一般にはクソ野郎だと思うし、アナキズム云々を差し引いても相当な変なやつらだが、そうした人間たちに対しても、瀬戸内は共感を隠さないのが素晴らしい。

伊藤野枝を軸にしながらも、『美は乱調にあり』と『諧調は偽りなり』との間の辻潤の描かれ方の差異などに着目してみてもいいかもしれない。いずれも瀬戸内は辻潤の「ダメ男っぷり」をダメに描くどころか、むしろ読んでいる私も辻に気持ちを込めてしまうほどに、「わかる男」として描いている。どこか辻と自分が似ているのではないかと見まごうほどでもあった（これは自分が辻潤ファンだからちょっと贔屓目にみすぎているかも……）。また神近市子についても彼女の心の揺れ動きを子細に描いていて、資料的な記述をもとにしながら、神近の考えを理解するうえでもかなり面白い。

アナーキーin金子

『余白の春』（中央公論社、一九七二年）で金子文子が主人公として登場する。金子は無籍者だった。だから学校にも通えず、極貧生活のなか、幼少期を過ごした。親戚中をたらい回しにされ、朝鮮半島で過ごした時期もあった。そこで当初は養子としていい待遇で生活を送ることができると期待されたが、行った先では、奴隷のような扱いだった。勉強をしたくて、活字を読みたくて新聞を読めば殴られる。「女」に教養は不要だといわんばかりに祖母から痛め付けられた。死を覚悟して川に入ろうとしたこともあった。そんななか、川を目の前に、セミの鳴き声が生き生きと聞こえてきて、金子はハッとした。こんなところから逃げよう。日本に帰り、東京へ向かった。東京では苦学生として勉学に励みながら、ふらふらになるまで働いた。そんななか、社会主義の思想に出合っていく。当初は勉学に励み、立派な社会の一員として生きていくことを夢見ていたが、勉強をしたとて、結局は自分自身が実現したいことを労働で無駄にするだけなのではないかと悟る。そう、「私は私自身の仕事をしよう」と決めるのだった。このころに朴烈と出会った。

朴烈が書いた「犬ころ」という詩と衝撃的にも出会い、書いた当人と出会って恋愛関係になっていくのに時間はかからなかった。出会った犬ころどもは日夜悪巧みをおこなった。社会主義だけでなく、アナキズムやニヒリズムの思想をどんどん吸収していった。そんなときに関東大震災（一九二三年）が起こった。朝鮮系の人々は流言飛語によって殺されていった。朴烈らも自らの命の危険を察しながら、予防拘束でしょっ引かれていく。金子はその様子を黙ってみているわけにはいかなかった。だから彼女もともに留置所へ向かう。

その間に、仲間によるちょっとした理解の齟齬から、とんでもない事件へと発展していく。そう、ここから大逆罪として金子らが座することになってしまうのだ。金子は覚悟が決まっていた。「私は私自身の仕事をする」。無籍者として生き、親戚からは虐待を受け、貧困のどん底にたたき落とされても、自分は自分自身として生きることを選んだ。このときの敵は何か。天皇であり、日本国家であり、日本社会である。朴烈もまた朝鮮人として生きているだけで、天皇を頂点に据えた日本国と日本社会によって痛め付けられつづけていた。二人は裁判の場で結婚式を挙げた。

　不条理すぎる死刑判決を受けるも、天皇制と日本国と日本社会に徹底的に抗った。その抵抗のあり方は手記としてのちに出版され、私たちはそれを読むことができる。のちに天皇による恩赦として無期懲役に変更が決まるが、金子は、その特赦状を破り捨てたという。

私は私自身を生きる

　ここから、金子文子に乗りながら、その「自分自身を生きる」というアナキズムを垣間見てみよう。親戚に世話になって生きるという地獄のような日々からようやく抜け出し、東京で苦学生をして生活しているときのことだ。次第に「主義者」たちと交流をもつようになった金子は朴烈の「犬ころ」という詩に出合い、「主義者」の友人だった鄭との会話を書き記している。「どこがってこたあない。全体がいい。いいと言うんじゃない、ただ力強いんです。私は今、長い間自分の探していたものをこの詩の中に見出したような気がします」[1]。金子にとって朴の詩は衝撃だった。

　のちに金子は、働いていた「社会主義おでん」屋で朴烈と出会うことになるが、まずはこの詩を目にして金子は雷に打たれたような衝撃だったにちがいない。この詩を読んだ直後にすぐに学校にいかなければならず、鄭から学校にいくように注意を受けるも、金子は脳天に受けた雷が今度は身体のなかでじわじわと電流のように駆け巡っていった。金子は続けてこのように述べている。

一切の望みに燃えた私は、苦学をして偉い人間になるのを唯一の目標としていた。が、私は今、はっきりとわかった。今の世では、苦学なんかして偉い人間になれるはずはないということを。いや、そればかりではない。いうところの偉い人間なんてほどくだらないものはないということを。人々から偉いといわれることに何の値打ちがあろう。私は人のために生きているのではない。私は私自身の真の満足と自由とを得なければならないのではないか。私は私自身でなければならぬ。

私はあまりに多く他人の奴隷となりすぎてきた。余りにも多く男のおもちゃにされてきた。私は私自身を生きていなかった。

私は私自身の仕事をしなければならぬ。そうだ、私自身の仕事をだ。しかし、その私自身の仕事とは何であるか。私はそれを知りたい。知ってそれを実行してみたい。[2]

これまで労働して、就職して、自立して生きることが目標だった。しかし、しょせん民衆のレベルで勉学に励んだとて、小市民的な小銭をもって、ともすれば日々の労働に時間が費やされるばかりとなり、自分が生きたいように生きるなど不可能になるのではないか。他者からの評価がなんぼのものだろうか。自分を褒めるのは自分でしかない。満足するのは自分でしかない。何が人生にとって重要なのか。何が私にとって重要なのか。そう、「私は私自身を生きる」、これである。これはなにも金子に限ったことではない。管野も伊藤も同じだろう。ここで着目すべきは、三者いずれも、パートナーと出会っていくことで、単なる足し算ではなく、冪乗の計算がなされるかのように、思考と行動が強力な電流を帯び、天皇に対して、国家に対して、そして社会に対しての抵抗の力が強まっていったことだ。

管野は荒畑寒村といたときも幸徳秋水といたときも、ものすごい速度で革命家としての生を加速させていった。伊藤もまた辻潤との生活の途上で「青鞜」の言説を作り上げ、そして大杉とともにいた間にもこう述べている。「私共の生活は、世間の人達の眼からは全くノルマルな生活だとは思へないかもしれません。しかし、私はそれ故にこそ世間の人の眼からは牢屋とも見ゆる家庭の内でいぢけてしぼむ筈の処を兎にも角にも、自分を一人の人間として信ずる事の出来る処まで育つことが出来たのだと信じます。が、これは、決して世間で観てゐるやうな私共二人の甘い恋愛の身ではありません。尤もそれなしに成就したとは云いませんが、しかしいつも私共の生活を結びあはせ、向上さしてくれたのは、たゞ生命をかけた、同士としての信頼と、深い理解を伴ふ友情です[3]」

恋愛はその生の基盤にあるものの、それ以上に「自分の仕事」をすること、このことが三者に共通し、そこから革命までを貫いて思考し、行動できた理由なのではないか。

対象的不滅性

管野も伊藤も金子も国家によって虐殺された。国家にとっては都合が悪い「犬ころ」どもだった。「自分の仕事」をする女性は、女性を所有の対象にしたい国家からすれば、正反対に位置する。

瀬戸内もこの世を去った。瀬戸内は性に奔放な作家としてかつて「炎上」したことがある。所有の対象にはならない、わがままな「犬ころ」だった瀬戸内は、自分自身の仕事を出家後も探求した。その過程で管野・伊藤・金子に出会った。緻密に資料を収集し、読解し、それに加え、関係した人々には会えるだけ会う。そこから管野・伊藤・金子の人となりを豊かに表現し、私たちの前に現前させてくれた。そう、死後も、人は生きるのである。金子はこう述べている。


私の手記はこれで終る。これから後のことは、朴と私との同棲生活の記録のほかはここに書き記す自由を持たない。しかし、これだけ書けば私の目的は足りる。

何が私をこうさせたか。私自身何もこれについては語らないであろう。私はただ、私の半生の歴史をここにひろげればよかったのだ。心ある読者は、この記録によって充分これを知ってくれるであろう。私はそれを信じる。

間もなく私は、この世から私の存在をかき消されるであろう。しかし一切の現象は現象としては滅しても永遠の実在の中に存続するものと私は思っている。

私は今平静な冷やかな心でこの粗雑な記録の筆を擱く。私の愛するすべてのものの上に祝福あれ！[4]

死後も金子は生きる。鶴見俊輔いわく「彼女は、天皇制にたいして負けずに無籍者として自分のつらぬく道をさがし求めた[5]」。天皇制があるかぎり、日本国家があるかぎり、日本社会があるかぎり、それらが金子を殺したかぎりにおいて、金子は生きる、管野は生きる、伊藤は生きる。

こうした金子の文言を鶴見はホワイトヘッドの「対象的不滅性」という概念と結び付けて論じている。流動的な事実に対して、永続的な価値がある。価値は事実と関わることで、その価値が価値になる。価値は時を超え、そのつどそのつど、再現される。価値は事実の糸引きによっていつでもよみがえることができる。[6] 瀬戸内は一連の作品を書いたきっかけについてこう述べていた。

私が、管野スガ子を書いたり、金子文子を書いたり、明治の女革命家を書きましたでしょう。それは全部、鶴見さんが後ろで糸を引いて、私はその人形遣いに踊らされたんですよ。鶴見さんがいなかったら、私はああいうものは書かなかった。[7]

瀬戸内寂聴のアナキズムは、恋愛という仕方で『花芯』（三笠書房、一九五八年）の時点ですでにその価値が潜在していた。それが鶴見の糸引きによって手繰り寄せられ、一連の作品群で現実化した。むろん、瀬戸内の書き方で、つまり恋愛を軸にしながら、それをも食い破るような革命のあり方を模索していった管野・伊藤・金子をあらわにしたといえるだろう。

事実と価値が仮に縦軸だとして、横軸にもそれに即応したものがあるのではないか。そのときに恋愛が媒介になる。鶴見（とホワイトヘッド）によれば、事実と価値は、「おたがいを必要としており、二つがあいよって一つの具体的な宇宙をつくる。それぞれの相は、その一つだけを切りはなして考えると一つの抽象である」[8]。管野にとって荒畑や幸徳が、伊藤にとって辻と大杉が、金子にとって朴が横軸での関係になるのではないか。それぞれがそれぞれと出会い、恋愛をしていったことによって、革命という具体性を作り上げていった。

瀬戸内は書籍という事実のなかに恋愛アナキズムとでも呼びうる価値を込めたことによって、管野・伊藤・金子の思想をよみがえらせた。瀬戸内はまた、自身の恋愛観を、そのアナキズムを、はたまた一遍上人や最澄の教えを、ここで取り上げた作品以外にも込めているのではないか。そしてまた全身小説家・井上光晴との出会いとその恋愛関係によってもなお、瀬戸内は自らの作家人生を規定したかもしれない。事実と価値は一人の人間だけでなく、恋愛という横の関係も加味することで、それが冪乗にもなるような触発を生み出す。その触発は、そのかぎりにおいて、「一才の現象は現象としては滅しても永遠の実在の中に存続するものと私は思っている」。そして、革命もまた恋とともに続く。恋は桃色なのではなく、たぶん、恋は革命なのである。

注

(1) 金子文子『何が私をこうさせたか――獄中手記』(岩波文庫)、岩波書店、二〇一七年、三八六ページ

(2) 同書三八八ページ

(3) 伊藤野枝、井手文子/堀切利高編『定本 伊藤野枝全集 第三巻 評論・随筆・書簡2――『文明批評』以後』学芸書林、二〇〇〇年、三五八ページ

(4) 前掲『何が私をこうさせたか』四〇八ページ

（5）鶴見俊輔『鶴見俊輔集8 私の地平線の上に』筑摩書房、一九九一年、四三四ページ
（6）この点については、森元斎『具体性の哲学――ホワイトヘッドの知恵・生命・社会への思考』（以文社、二〇一五年）所収の「アナキズムのほうへ、おもむろに」二七〇ページ以下に加え、前掲『国道3号線』所収の「おわりに 思考の行方――この世に根付くこと」二二三ページ以下を参照されたい。
（7）瀬戸内寂聴／ドナルド・キーン／鶴見俊輔『同時代を生きて――忘れえぬ人びと』岩波書店、二〇〇四年、三三ページ
（8）鶴見俊輔『読書回想』（「鶴見俊輔集」第十二巻）、筑摩書房、一九九二年、一二八ページ

16 悶え加勢すること——石牟礼道子について

私たちは何もできない。と同時に私たちは何でもできる。これらのあわいに私たちは悶えて加勢しながら生きている。放射性物質が拡散し、なすすべもなく立ちすくむ。と同時に避難し政府や企業に抗議する。これらのあわいで生活している。

原田正純が謎の「奇病」に立ち会うなかで、その背後をうろうろして悶えている石牟礼道子がいた。[1]彼女は、水俣で生活するそのただなかで、いままで経験したことがない出来事に立ち会っていたのである。石牟礼はこう記している。「半ば死にかけている人々の、まだ息をしているそのような様子は、いかにも困惑し、進退きわまり、納得できない様子をとどめていた」[2]

劇症型と呼ばれる患者の全身から発せられる困惑や怒りや悲しみ。こうしたえも言われぬ感受を察知し、石牟礼はその世界に飛び込むようになる。むろん、医学的水準での把握ではない。知恵の水準での抱握である。医学的には「小脳顆粒細胞にとってかわりつつあるアルキル水銀が、その構

造が CH_3-Hg-S-CH_3 であるにしても、CH_3-Hg-S-Hg-CH_3 であるにしても、老漁夫釜鶴松にはあくまでも不明である以上、彼をこのようにしてしまったものの正体が、見えなくなっているとはいえ、彼の前に現われねばならないのであった」[3]。医学─化学の水準では記述可能であること、それが患者・釜鶴松には「あくまでも不明」であること、そしてこれらのあわいにえも言われぬ仕方で釜鶴松に水俣病が実現し、そして彼が死につつあること。これら進行中の出来事を石牟礼は眼前に見ていた。このとき、石牟礼は次のように述べている。

安らかに眠ってください、などという言葉は、しばしば生者たちの欺瞞のために使われる。このとき釜鶴松の死につつあったまなざしは、まさに魂魄この世にとどまり、決して安らかになど往生しきれぬまなざしであったのである。

そのときまでわたくしは水俣川の下流のほとりに住みついているただの貧しい一主婦であり、安南、ジャワや唐、天竺をおもう詩を天にむけてつぶやき、同じ天にむけて泡を吹いてあそぶちいさな蟹たちを相手に、不知火海の干潟を眺め暮していれば、いささか気が重いが、この国の女性年齢に従い七、八十年の生涯を終わることができるであろうと考えていた。

この日はことにわたくしは自分が人間であることの嫌悪感に、耐えがたかった。釜鶴松のかなしげな山羊のような、魚のような瞳と流木じみた姿態と、決して往生できない魂魄は、この日から全部わたくしの中に移り住んだ[4]。

このときから石牟礼は、「生者たちの欺瞞」たる言葉を一切廃し、「決して往生できない魂魄」とともに言葉を紡ぐようになる。このときの言葉とは、ときに決して発されることがない言葉であり、ときに発される言葉以上に魂魄とその現実の姿態に寄り添いながら記述されるものでもある。往生しきれない釜鶴松の魂が石牟礼に侵入すると同時に、石牟礼がその往生しきれない魂を抱握していくのであった。そのため、魂のような形而上学的な水準と現実に存在する知恵の水準とが幸福にも（あるいは不幸にも？）混ざり合うことで、石牟礼は言葉を生み出している。決して科学的なだけでもなく、神秘的なだけでもなく、日常的なだけでもない。深い現実に根ざし、抱握された言葉だけが常に記述されている。

ところで抱握とはなんだろうか。英語で記述するならば、prehension である。この言葉には本来接頭語に ap がつくことで、把握 apprehension という語になる。[5] ap にはラテン語で意識や個体の意識という意味合いがある。そのため把握とは、命題の判断や、科学的な判断を可能にするという意味合いをホワイトヘッドは読み取っている。こうした意識的な営為さえをも包摂する、より根源的な語として、この抱握という語が、ホワイトヘッドによって編み出されている。つまり接頭語の ap を剥奪することで、森羅万象に普く適応できる言葉を生み出したのだ。ホワイトヘッドによれば、抱握とは自然のなかで森羅万象の事物や出来事がおこなう営為であり、人間だけでなく魚（イオ）であれ蟹（がね）であれ、狐であれ、抱握する。抱握をするとき、私たちを含めたあらゆる存在が原理的に同じ水準にいることが可能である。むろん、人間の営為がモデルとしては考えられているだろう。しかし、人間を特権的にみることなく、ほかの存在と同じ水準で物事を物理的にも精神的にも取り入れることが抱握なのである。このとき、抱握は（肯定的）感受（positive feeling）とも呼ばれる。人間だけでなく、あらゆる存在が感受することができるのだ。そのため、抱握＝感受こそ、森羅万象が有するはたらきなのである。こうした観点から、ホワイトヘッドは有機体の哲学と名づける形而上学を展開する。あらゆる存在が有機体であり、抱握し感受する。石牟礼もまた、人と自然、そして神的なものを彼女独特の抱握的な言葉の水準で語りかけてくれていると考えることができる。[6]

石牟礼の著作には水俣病の患者の声なき声だけではなく、主人公の幼い子どもや動物の声を浮かび上がらせることがある。そこからときには、自然そのものの声を私たちに聞かせてくれる。『みなまた 海のこえ』（小峰書店、一九八二年）で石牟礼は、丸木俊・位里の絵とともに、私たちにえも言われぬ感受を、視覚だけでなく、そして聴覚だけではないような水準で、可能にしてくれる。冒頭ではきつねのおぎんとその孫娘おちゃらが登場し、そこで不知火に関する自然の神秘的なさまについての会話が繰り広げられる。きつねや人間だけではなく、モタンのモゼやモーマと呼ばれる妖怪も登場する。むろん、水俣の豊かな自然が語られると同時に、チッソによる破壊行為が描写されている。このきわめて美しくも恐ろしい絵本のなかでは、いたるところで「しゅうりりえんえん」という言葉が記述されている。石牟礼の言を引こう。

しゅうりりえんえん、という言葉は、もちろん辞書にはありません。狐のおぎんも初めて皆さまの前に出るわけですので、辛い世界から出てくるための呪文というか、祈りを長い間やっていましたら、こういう言葉がでてきました。

奥深い空にひがん花が一輪浮き出てくる、その花のエネルギーというか、そういう言葉です。本当に苦悩の深いものほど、しゃべらないのだ、空の奥に赤い花のように咲いているだけだとわたしは思うのです。そんな花の祈りが、音楽になる寸前の言葉が、しゅうりりえんえんです。(7)

しゅうりりえんえんはえも言われぬ言葉である。呪文や祈りという形而上学的な水準の言葉にも思える。同時にこの言葉はチッソによる破壊や汚染によって立ち現れた言葉でもある。死者が舞い戻る盆に咲く花、ひがん花。その花が咲かんとするとき、空から死者が舞い戻る。大地にいる生者と空にいる死者。そしてそれらを媒介するひがん花。このひがん花は現実の大地に咲くものであると同時に、潜在的に空に浮き出るものでもある。浮き出た花のエネルギーを石牟礼がリズミカルに活字化する。事実、『みなまた 海のこえ』はきわめてリズミカルである。しゅうりりえんえんという言葉は、強く意識される科学的判断によって解明されるような命題ではない。そうではなく抱握のように深く現実に根づくがゆえに潜在的な水準を包み込む。しゅうりりえんえんという言葉は、音楽にまでは至らず、しかし言葉以前のものでもなく、それらのあわいに存在するのである。

私たちはあわいに生きる。そのために悶える。と同時に悶えるさなかに触れる自然は私たちを確実に導く。自然からの贈与とそこから生まれる交換がある。自然と人との往還運動なしに生き永らえることなど不可能である。だから加勢する。

水俣の相思社に友人がいる。彼女いわく、「私は医者でも何でもない、ましてや専門家でもない、しかしいつも患者さんたちが相談しにきてくれる、電話をかけてきてくれる」。そしてその彼女があるとき石牟礼と話している際、彼女に石牟礼はこう述べたという。

あんたは悶え加勢しよるとね。昔は水俣にもあったとよ。人が苦しんでいるときに、その人の家の前を行ったり来たりして、何もできないけど、一緒にいるでしょう、悶えて加勢する。それで救われるとたい。[8]

救われるのは苦しむ人だけではない。悶え加勢する側もまたそうである。私たちは何もできない。と同時に私たちはなんでもできる。「加勢の衆」はときに、人間だけではない。小さな妖精や人間めいた（あるいは妖怪めいた？）存在であることもある。[9]あわいに生きるからこそ、私たちは立ちすくむ。と同時に加勢することができる。そして大きく行動することもできる。あわいに、つまり悶え加勢する水準に私たちは生きることができる。川本輝夫のようにはなれると同時になれない。原田正純のようになれると同時になれない。ユージン・スミスのようになれると同時になれない。土本典昭のようになれると同時になれない。放射性物質が拡散し、なすすべもなく立ちすくむ。私たちは何もできない。と同時に私たちはなんでもできる。これらのあわいに私たちは悶え加勢しながら生きている。

注

（1）例えば、原田正純編著『水俣学講義』第三集（日本評論社、二〇〇七年）一七―一八ページ、原田正純『宝子たち――胎児性水俣病に学んだ50年』（弦書房、二〇〇九年）一七ページなどを参照。

（2）前掲『石牟礼道子全集 不知火』第二巻、一〇三ページ

（3）同書一〇七ページ

（4）同書一〇七―一〇八ページ

（5）Motonao Mori,"On the prehension: The birth of prehension in Science and the Modern World" *Process Thought*, No. 15, 2012, pp. 12-22.

（6）例えば、花崎皋平は石牟礼の存在理解について次のように述べている。「こういう存在の優位の把握は、理性主導の存在理解ではなく、感受性を根源とし、そこによりたのむことと結び付いている。「ひとりの人間はことばにならない存在の歴史の総量を含んでいる」という。「ひとりの生命の歴史は、人類史の総括をつつましく負ってじつは終わる」のであり、「生命にはひょっとして、意識することもできないほどの深い美意識があるのではあるまいか。たぶんそれの完成を目ざして私たちの永い生命系は、生きかわり死にかわりして来たのではあるまいか」という。生命の深いはたらきを「美意識」ととらえているところに、彼女の感受の仕方がある」（花崎皋平『天と地と人と――民衆思想の実践と思索の往還から』七つ森書館、二〇一二年、四九―五〇ページ）

（7）石牟礼道子『石牟礼道子全集 不知火』第十六巻、藤原書店、二〇一三年、二二一ページ

（8）「YouTube」の動画「私たちが語る 水俣と福島 20130113」（http://www.youtube.com/watch?feature=player_embedded&v=d3m6F-LjtRc）［二〇一四年四月五日アクセス］での永野三智の発言。

(9) 例えば、石牟礼道子「あやとりの記」(『石牟礼道子全集 不知火』第七巻、藤原書店、二〇〇五年)を参照されたい。

17

鉱物的な眼——谷川雁

コロナ禍と呼ばれる現在にあって、私たちは何を読むべきか。思想畑にいる人間ならば、ミシェル・フーコーでもいいし、フレデリック・ケックでもいいし、デヴィッド・ハーヴェイでもいいだろう。歴史をひもといてウィリアム・H・マクニールでもかまわない。この辺は、誰かがきっと推挙するにちがいないので、ちょっと違った視角から。

この間まず最初に、スペイン風邪なるものが流行した際に、先達は何をしていたのか調べた。なんてことない、それなりに罹患に気をつけたりしながらも、相変わらず人が集まるところに出入りしたり、革命のための悪巧みにいそしんでいる連中ばかりが主だった。もちろん、なかにはインフルエンザにかかってしまったという記述もあった。ウイルスが蔓延しながらも、文句を言うべきときには、いてもたってもいられずに街路で暴れる、それが先達である。あるいはこんな記述も見つけた。関東大震災のあとに、玄米のおにぎりが国家から配給され、それを食ったアナキストたちだけでなく、多くの市民たちが赤痢になった、というものだったり、古着が配給されたのだが、軒並みカビが生えていた、などというものだ。どこぞのマスク配布と似たようなものである。昔からポンニチは、廃棄物なのだ。いずれにせよ、中国に武器を調達しに動き回ったり、やれ不穏な爆弾作成にいそしんだり、相変わらず地下活動に熱心で、ある種いまと変わらないといえば変わらない。ただし、運動に対する熱のあげ方が、だいぶ異なるのは確かだ。

現在はどうか。日本でぬるいツイッター・デモなるものがあったらしいが、正直、なんの効力も発揮してはいなかったのではないか。せいぜい、政権与党支持者が困ったから、政府サイドもちょっとは申し訳程度に助けましたよ、なんとか給付金は出しますよ、というくらい（ヨーロッパ諸国の助成や給付金の額は、日本の比ではないほど恵まれている）。その一方で、例えばＢＬＭなんかになると、コロナ禍であっても街路に出て、言うべきことを言う。警察がいやがることをすることで、民衆の力でミネアポリスの警察をDEFUNDまでもっていったのは記憶に新しい。私たちが住まうポンニチはひたすら敗北である。

そのポンニチでは「新しい生活様式」や「コロナ以前」という言葉が聞かれるようになった。新しい生活様式は、「かつての生活様式」から何かをどうのこうのしたようだが、どうのこうの以前に、「かつて」の生活様式も、言祝ぐほどにいい生活様式だっただろうか。沈思黙考する時間が奪われ、自己責任や民族排斥がCOVID-19（新型コロナウイルス感染症）以上に蔓延したポンニチでの生活。「以前」は何がダメだったから「現在」に問題が山積みなのか、それをこそみるべきなのではないか。むしろ、以前だろうが現在だろうが新しかろうが、みるべき問題点は変わらないのではないか。

谷川雁の言葉を引いてみる。

〈水銀以前〉の水俣を、あなたは聖化しました。幼女の眼で、漁師の声で、定住する勧進の足で。トラコーマ、結膜炎ほぼ百パーセントの浦浦、県下一のチブスの流行地、糞尿と悪臭の露地をそれらで荘厳するのもよいでしょう。もはやそれはあなたの骨髄にしみとおっている性癖で、私にはしょっちゅう狐のかんざしのごときものが見えてへきえきしますけれども、趣味の問題はいたしかたもない。それが〈水俣病〉の宣伝にある効果を与えたのも事実です。しかし患者を自然民と単純化し、負性のない精神を自動的にうみだす暮らしが破壊されたとする、あなたの告発の論理には〈暗点〉がありはしませんか。小世界であればあるほど、そこに渦まく負性を消してしまえば錯誤が生じます。なぜなら負性の相剋こそ、水俣病をめぐって沸騰したローカルな批評精神の唯一の光源ですから。(1)

これは、谷川雁が石牟礼道子に宛てた文章である。石牟礼による水俣病の作品はよく知られているだろう。石牟礼は常に、水俣を美しく描く。チッソによる有機水銀が垂れ流される以前の水俣を、ときには幼い少女、漁師などの声によって描き出す。はたまた狐のかんざしや妖怪が出てくることで、水俣が語られる。近代「以前」は、人間と自然とが調和を保った仕方で暮らしていたようなありようだ。しかし、それは幻想なのではないか。チッソ以前にも、水俣に問題は山積みだったのだ。

谷川はここでそう述べているのだ。むろん、石牟礼の筆致である程度、水俣病が知られていったのは確かだ。しかし、水俣病を水俣病たらしめるようになっていったのは、チッソだけでなく、そこに住まう人々にも原因はあるわけだ。なかったとしても、その原因に関わる錯誤や問題は抱えていたわけだ。純粋な被害者など存在しない。

むろん、谷川だけに肩入れするのもフェアではないので、石牟礼の反論も紹介する。石牟礼はこれに対して、方法の相違を述べる。谷川は確かに理論的にも様々なことを知悉しているだろう。石牟礼は、そうではなくて、手探りで現場の人々と話し合いながら運動を模索していた。かたや抽象的で、かたや具体的[2]。本来であれば、抽象と具体が乖離しながらも、その線上に立つことが好ましいと思われる。いずれにせよ、ここでは二人の差異が見て取れるし、それは私たちが学ぶべき差異だ。

実は、谷川自身もこんなことを述べていたことがある。

ひとりの人間はイデオローグとして存在するとともに行動者として存在する。イデオローグとしての彼のエネルギーはニヒルに、行動者としてはアナーキーに噴出する。変革する労働者の思想はその断層の上を歩いていく。いまのところ、私たちはこの断層を縫いあわせてしまうイデオロギーとはことごとく戦わざるをえない。戦いはこの断層にすべてを賭ける者と、その賭けから離脱する者との間に進行する。いまではまだこの分裂線はきわめて単純にくっきりしており、協同の範疇はいささか広すぎる。しかし闘いはもうはじまった。あともどりの可能性はない。こちら側には固定した指導体系がなく、状況のたびに編成し直されるイデオローグ集団しかないだろう。また状況のたびに選びとられる行動者集団の横の連合しかないだろう。そして戦いの推移につれて、協同の範疇は狭くなり、細く強靭な一本の糸だけをのこすにすぎなくなるだろう。長い苦しみののち、人びとは対立と協同が同義語であるような、そのような世界を発見するかもしれない。そのとき人々は一転して、いや順当にパルタイ的集中を求めるであろう。しかしそのパルタイとは、今日のパルタイ概念とは縁もゆかりもない反パルタイ的パルタイであるはずである。[3]

私たち一人ひとりでさえ、石牟礼的な側面もあれば、谷川的な側面もある。石牟礼のようにモゾモゾとうごめく行動者になっているときもあれば、谷川のように理念的に指針を示す策略家であるときもある。その双方が合致することなく、しかしながら、それらの乖離の間を縫うように私たちは思考し、運動する。現在のポンニチ的状況では、この乖離が広大である。もはや、左翼なるものが、地平線上のはるか彼方にちょっと見えるほど遠い（今日の「政党」に関しては、気づけば左派政党などどこにも存在していない、虚しさよ）。あるいは、ばかの一つ覚えのように、野党共闘などという。選挙でしか政治を実現できないと考える多くのポンニチ大衆は、常に負けるのがわかっているくせに選挙が大好きで、その選挙結果をみて、与党選挙民をばかにする。こんな無駄なことはない（まぁ、そもそも選挙が無駄なのだが……）。この広い乖離を差異化し、いくつもレイヤーの存在を示し、次第に誰にも引きちぎることが不可能なほど狭くも太い分水嶺が見いだされることになるそのときに、思考と運動の発露が警察をDEFUNDへと導く。権力分析も民衆分析も、この地平にある。いずれにせよ、このときには当然のように敵であっても、味方として協同する瞬間が現れる。そして、そもそも味方などは存在していなかったのだという地平に立つようになる。そうした地平に立つ者たちが集まるとき、反パルタイ的パルタイとしてポンニチに一撃を食らわすことができるのではないか。そもそも、社会って多様だよね、というオブラートに包んだ物言いでさえ私たちは理解できるように、一人ひとりは連帯しながら孤立しているのだ。だから、「連帯を求めて孤立を恐れず」なのだ。

もしかしたら、こんなことは不可能なのかもしれない。だけれども、不可能性を設定し、そこへと飛び出すこと、そのセンスを磨くことが谷川にとって重要だ。晩年、谷川は宮沢賢治を読解し、その知識を子どもたちと共有する場を設けていた。彼は子どもに賭けた。谷川は（初期）宮沢賢治の童話には「村」があるとしていた。その「村」とは形而上のものであり、ともすればたどり着くことはないが、しかし私たちがそもそも有している何かとして記述される。不可能性としての「村」だ。谷川の賢治読解によれば、その「村」は賢治の初期作品にしか存在しえない。戦争の影で次第に忘れ去られてしまった何かである。またあるいは私たち大人がかつて知っていて、もしかしたら今後子どもたちが知る機会がなくなりつつある何かである。それは生活の知恵だったり、自然に満ちている知恵だったり、人との接し方の知恵だったりする。これらの点については、谷川雁『賢治初期童話考』（潮出版社、一九八五年）など一連の賢治論を読んでほしい。それはそうと、谷川だ。この「センス問題」で興味深い文章がある。

また聞きですが、ある学生が九州の山奥で道をたずねたら、これこれのものを目じるしに歩いてゆくと「傘をさして踊って歩けるような（広い）道」に出るからそれをゆきなさいと教えられて、すっかり感動したということです。このばあい、詩として成立しているのはただの一句にすぎません。まわりに不純な表現が不可視の結晶となってとりかこんでいます。そのなかに、ただ一箇の水晶がみえます。いわば泥つきの詩だけれども、それをある心象の装置によってとらえるならば、私たちは全世界を微細な結晶の連続としてとらえる鉱物的な眼をもつことができます。(4)

道を聞いて、ただ、あっち、と指差すことは全くもってセンスのかけらもない。パリにいたとき、私はどうみても東洋人であるのに、ヨーロッパ系とおぼしき人々に道をよく聞かれた。さすが芸術の都パリである。センスの塊しか感じない（あのときうまくボケることができなくて、ごめん……）。そう、言葉は論理的なだけではない。形容詞もあれば修飾語もある。人に伝えるのは論理だけではなく、センスも含まれる。むろん、ここでも論理とセンスの乖離、そしてその分水嶺についての問題が伏在している。はたまた理念と現実を行き来する知性が問われている。言葉が詩的でありながらも人を説得することができるそのときに、言葉の真価が問われる。伝えたい何か。「村」のようなもの。ここでは「水晶」と呼ばれているものだ。「水晶」そのものをごろっと差し出しても、それが何かを理解することは私たちには不可能だ。しかしながら「不可視の結晶」も含めてようやく

「水晶」がそれとしてわかることがある。全世界が様々な結晶で構成されていると考えてみよう。そしてその結晶の種類を見つめる理念を学ぶとしよう。過去に、いやなことを言う左翼のおっさんがいた記憶はないだろうか。私もいよいよそうした齢になってきたのかもしれない。谷川雁は常にそういう存在だ。いやなことのなかにも、驚くべきことに、学んでしまいたくなるような光る言葉がある。こんなゴミみたいなポンニチにも、かつては、ほんの数十年前まで「水晶」があふれていた。「村」が噴出していた。いま私たちは、その「水晶」を掘り出し、「村」のありかを探し出す時間かもしれない。

いずれにせよ、「鉱物的な眼」を有することができた暁に私たちは、この世界を、決して一つにならない分水嶺の上で見つめることができるのではないか。そのときにこそ、ポンニチではなく、日本（当然、にほん、と読みます）と名指してみてもいい状況がくるかもしれない。

注

（1）谷川雁「〈非・水銀性〉水俣病・一号患者の死」、前掲『原点の幻視者』所収、三六一ページ

（2）谷川と石牟礼の比較については、前掲『国道3号線』を参照。

（3）谷川雁「定型の超克」、谷川雁、岩崎稔／米谷匡史編『工作者の論理と背理』（「谷川雁セレクション――〈戦後思想〉を読み直す」第一巻）、日本経済評論社、二〇〇九年、二二八ページ

（4）谷川雁「観測者と工作者」、同書所収、一三五ページ

18

地を這う精神――『はだしのゲン』

僕は信じる。反対こそ、人生で
唯一立派なことだと。
反対こそ、生きていることだ。
反対こそ、じぶんをつかむことだ。
（金子光晴[1]）

人間の本性は、決して一定量に収まっているのではない。むしろそれは流体的で、新しい条件とともに変容する。
（エマ・ゴールドマン[2]）

はじめに

私たちはゲンである。むろん原爆の惨禍を経験してはいない世代だとしても、私たちはゲンの生きざまに見習うべきである。少年漫画としての『はだしのゲン』は、子どもの成長劇、青年のロマンが描かれている。身体的な生育だけではなく、精神の涵養を私たちは見て取ることができる。その精神の涵養にうってつけの反骨精神が色濃く描き出される。思春期の成長にうってつけの素晴らしいマグナム・オパスなのだ。反対せずに、どう生きろというのだろうか。それ以外に正しい答えなどどこにもない。放射性物質がまき散らされている現在にあって、そしていまだ終わりを告げることがないアメリカによる日本支配の現在にあって、反核以外の、そして反米以外の道筋など私たちには存在しないのではないか。放射能と放射脳がこの世界を作る。民衆が天皇という最高責任者によって戦争を強いられたという、そして民衆が大量に（友軍・皇軍からさえも）虐殺されたという「頑固な事実（matter of fact）」（ホワイトヘッド）は、阿呆くさい（天皇は利用されただけなどという）「歴史事実」（笑）とは異なるからこそ、反天皇以外の、そして反政府以外の道筋など私たちには存在しないのではないか。「頑固な事実」がこの世界を作る。民衆がいかに愚劣であっても、私たちは民衆であり、そして「頑固な事実」を経験するのは民衆なのである。そして、その一人がゲンである。

ゲンの規範生成

何よりもまず、ゲンの父が反戦の勇士だった。大々的に歴史に残ることはないけれども、しかしこうした反戦を貫いた民衆の一人である。酒を飲み、屁をこきながら町内会の竹ヤリの訓練に参加する勇士。町内会長の「非国民」宣言に対して、ゲンの父いわく、[3]「やかましい　へをして非国民だといわれてはたまらんわい　出ものはれものところきらわずだ」と述べ、「だいたいこんな竹ヤリでアメリカ兵とたたかえると思っているのか　むかっていくまえに機関銃でみな殺しだ」。加えて啖呵を切り続け、「やかましい　もう戦争はごめんだ」と去りゆく。こうしたゲンの父に対して町内会長どもは「非国民め」と口々に怒りをあらわにする。この父は、「趣味で左翼系の劇団に所属していたことがあり、役者として、島崎藤村の『夜明け前』だとか、ゴーリキーの『どん底』といった作品を演じたこと」[4]があった。そのかどで特高（特別高等警察）に捕らえられてしまう。漫画では父への非国民というレッテルによってゲンが町内会長の息子の竜吉とけんかをし、ゲンが竜吉の指を嚙みちぎるという戦闘シーンがある。その仕返しとして、ゲンの父は町内会長のたれ込みによって特高に捕らえられることになってしまう。特高に対してもゲンの父は反戦の意志を貫きながらも、ボコボコにされて帰される。実話では、一年二カ月後に釈放されたという[5]。

ゲンの父の明確な反戦・反天皇に関する逸話がある。ゲンの自宅で叔父と父とが話をしていたという。

Y叔父は、「自分は、カンカンの軍国少年だった。国のためなら喜んで死のう。天皇陛下のためなら喜んで死のう、日本は神州不滅の神の国だ、その神の国に命をささげるのは、大和男子として当然だ」と信じ、疑問はいっさいももっていなかったそうだ。まるで軍国教育の型にはまった見本みたいな男だったと苦笑いしていた。そんな叔父が父に、「これから真珠湾攻撃に出撃し、国のため、天皇陛下のためにみごとに死んでまいります」と見栄をきったところ、父は、Y叔父をにらみつけて「天皇制打倒だ！　この戦争は間違っている。日本は絶対に負ける！　犬死にをするなっ！」と怒られたそうだ。そして、天皇制がいかに恐ろしいものか、その構造をコンコンと説き、天皇制ファシズムのもとに国民ががんじがらめに縛り上げられ、戦争に突入していく過程を長時間にわたって諭されたそうだ。(6)

Y叔父の言葉はギャグだとしか考えられない。しかし同時代にあってもなお、時折こうしたギャグを真顔で説くばかをみることがあるが、何をのたまっているのだろうか。そして強調されるべきは、ゲンの父のようなおやじがいまなお存在するだろうか。意見を異にする者に対して堂々と議論を交わせる人がいるだろうか。こうした父を見て育ったゲンは常に、物理的な暴力を加えるけんかをしながらも、やはり他者に対して常に言葉を投げかけながら、彼のなかでの正義（父という超越論的審級）を確かめるように話が進められていく。しかし父が生きていたらどうだっただろうか。原爆で焼き尽くされていなかったらどうだっただろうか。ゲンは反骨精神を有するゲンになりえただろうか。殺されたがゆえに、反核、反天皇、反米、反政府の精神が強烈に涵養されたのではないだろうか。そうであるから、反権威主義者（アナキスト）ゲンが出来していくのではないだろうか。

次いで、のちに母が長い闘病生活を送り亡くなる。漫画では親孝行の旅行中に吐血し、亡くなる。さんざん燃やし尽くされた広島の遺骨を見てきたゲンは、母の遺骨がスカスカになっていることに怒り狂う。実話では、中沢啓治が上京してから結婚し、新婚生活をスタートさせた矢先に「ハハシス　スグカエレ」の電報を受け取り、慌てて葬式に駆けつけることになる。中沢はこう述べている。

H叔父が、骨を拾って骨壺に入れるときはいちばん先にのど仏の骨から拾って入れるのだと教えてくれた。私は、頭蓋骨のあるほうを竹箸で探った。のど仏どころか頭蓋骨さえでてこなくて慌てた。灰をさかんに掻き分けて私は驚いた。母の骨がでてこないのだ。三、四センチの小さな骨が出てくるだけであった。次兄は「よく焼きつくされているのう……」と炉の性能のよさに感心していたが、私は、平静さを装いながら目をみはり、「こんなバカなことはない、人間は焼かれると頭蓋骨、胸骨、手足と、はっきり骨格を残すのだ……」と自問しながら、つぶやきをくり返した。焼き殺された父たちの骨の姿が、母の灰となった骨の上に重なった。そして東京での話を思い出していた。

東京に住む被爆者夫婦の死体を焼却していたら、骨がまったくなかったと被爆者団体の人から聞き、私は「そんなことないですよ」と父たちの骨を掘り出した体験や、多くの焼かれた遺骨を見てきたことを語り、骨がないという話に反論したことがあった。だが自分の母の骨がこんなにも少ないことに強烈なショックを受けた。原爆投下から二十一年間、母の骨は、放射能が侵入して食いつくし、スカスカのもろい骨になっていたのだ。焼くとたちまち灰となったのだ。母の小さな骨の破片を拾って骨壺に入れていると、無性に腸わたが煮えくり返り怒りにかられた。「原爆め！　母の人生を狂わせ、苦しみのた打ちまわらせ、地を這うようにして生きてきた母の骨まで奪っていくのか！」と怒りに震え、平静を装うのに苦労した。(7)

このときから、彼は原爆漫画を書き始めることになる。中沢は「母の死をきっかけに、原爆漫画を描きはじめ、七年後に、『はだしのゲン』を発表しました[8]」と述べている。父が焼き殺されたこと、地を這う母の遺骨の残骸を見てしまったこと、これらがゲンをゲンたらしめている。遺産相続した父の規範が、そして母の死が中沢にゲンを書かしめたのだ。そして、ゲンは地を這う反権威主義者として描かれる。

ゲンにおける連帯・分裂・孤立

アナキスト、ゲンは連帯する。それも小集団である。ときに裏切りがある（例えばムスビのヒロポン中毒による資本金の流用[9]）。それぞれの個人的な信用とその連合を見て取ることができる。ムスビでなくとも、誰かが裏切ることはいつでも可能なのである。しかし彼ら・彼女らは、よほどのことがないかぎり裏切ることがない。連帯せずして生きていくことなど不可能だからだ。むろん、そこには常に分裂が含み込まれる危うさがなければならないだろう。ムスビは当人の個人的心理の弱さに起因した結果、分裂し殺されるのではない。そうではなくて、原爆という出来事が生み出した社会の趨勢に殺されるのである。『はだしのゲン』は常に原爆という出来事が生み出した、地を這う精神に取り憑かれているのである。選挙に出馬しだす町内会長・鮫島伝次郎もまたある種地を這う精神の持ち主ではあったかもしれない。しかし、彼のような狡知は決してゲンにとって許されるものではない。地を這う精神に狡知は存在しない。常に、狡知は飛翔によって成り立つ。地を這う者は飛翔などしない。地を這う精神は飛翔する精神を常にたたき落とす。このときそうした地を這う連中は連帯し、飛翔の果ての国家や上位の社会を権威と暴力の温床だとして否定する。だから、ゲンにとって常に国家とは悪なのである。そうであるから、理想的な国家などゲンのなかで語られることはない。脱構成的趨勢をゲンとその仲間たちは常に編み出す。生活者の強くはかない地を這う視点が描き出されるのだ。夏江と勝子、隆太とムスビ、そしてゲンたちの集団はアナルコ・サンディカリズムとして読みうるかもしれない。とはいえ、中沢本人のほうはというと、「おやじゆずりの反骨精神で、徒党を組んで仲間を作るのが大嫌い」[10]であり、漫画を描く際にも基本的にはアシスタントを雇わず、一人でおこなうことが多かったようだ。[11]連帯と分裂の危機、そして孤立がゲンのなかで生きるのだ。

個人の心理や登場人物そのものの葛藤を語りがちな思想や批評、そして漫画が多い同時代のなかにあって、中沢は常に原爆という出来事から民衆を語る。ゲンだけではない。『はだしのゲン』へと結実する以前の作品群である『黒い雨にうたれて』（所収の漫画タイトルの呪詛に満ちた言葉を見よ）をひもといても同様だ。「黒い雨にうたれて」ではアメリカ人専門の殺し屋・神、「黒い川の流れに」ではポン引きの百合子、「黒い沈黙の果てに」では言語障害を起こした吉村とルンペンとなった元教師、「黒い鳩の群れに」では孤児の勇二と友子、「黒い蠅の叫びに」では原爆指定病院に入院しているエリ子と大里、「われら永遠に」ではタクシー運転手の伝さんと医大浪人の和夫、「黒い土の叫びに」ではフリーター（?）の隆二とカツギ屋のおばさん、「黒い糸」では結婚話が破談し自死に追いやられる光子……東京へ行ってからのゲンのその後を描く構想があったことはよく知られているが[12]、そのなかでは「ゲンは東京に出て、被爆者として差別を受けたり、東京大空襲の孤児たちとであって仲間になったりして、戦争の実体にせまっていきます。そしてゲンは漫画家のアシスタントとなり、そのうち本格的に絵を勉強したいと思い、絵描きを目ざして、横浜から貨物船に乗ってフランスに旅立ちます。そしてフランスには原発が沢山ありますから、ゲンは、そこで、絵描き仲間と原発問題を考えていく予定[13]」だったようだ。このなかで展開されたであろう萌芽はすでに『黒い雨にうたれて』に描かれている。先の自死に追いやられる光子は原爆差別にあい、婚約が破談になる。被爆していない隆二や和夫にあっても、やはり被爆したカツギ屋のおばさんやタクシー運転手の伝さんに会うことで、彼らは回心していく。そして『はだしのゲン』特有の描かれ方である小集団の連帯は、広島でなくフランスへ旅立ってもなお潜在的に垣間見ることはできるだろう。そしておそらく、フランスでも分裂の危機をはらみながら物語は進展していたのではないだろうか。いつでも民衆の地を這う立場から反骨精神を保持しつづけるのである。

書かれていないこと

まだ語られるべきことを『はだしのゲン』からいくつも読み取ることができる。地を這う精神は広島にだけ存在するのではない。どこへでも這い、いまここの私たちが存在する地に常にすでに実のところ存在しているのである。兄である浩二もまた、彼なりの足取りを見せている。浩二は原爆後の貧困にあえぐ広島にあって、なんとか家族を養うべく、一大決心をする。「わしは九州の炭坑へいこうと思っとるんじゃ／いま景気がええのは炭坑だけじゃ　おふくろの病気をなおすには金が

いるんじゃ　わしが炭坑でかせいで金をおくるけえ」[14]。その後、浩二は九州の炭坑に出稼ぎにいくことになる。実話ではこう述べている。「長兄は、景気がよく働き口のある筑豊の炭坑へ職を求め、トランク一個持って出発した。私は長兄がとても頼もしく思えた。長兄がなにがしかの金を送ってくれ、わが家の生活が少しでも楽になることを期待して私たちは見送った。しかし数日後、長兄はしょんぼりと帰ってきた。驚いた母が理由を聞くと、炭坑には年齢制限があって、長兄は若すぎて「採用できない」と断られたとのことだった。私たちはがっかりした」[15]。漫画では、その後浩二は九州の炭坑に向かうが、「吉丸組と言う下請けの会社で働くことがきまったと知らせてきただけじゃ」[16]と次兄の昭が述べる程度で、ゲンたちのもとに送金されることはない。おそらく本鉱員ではなく、組夫として雇われた浩二の労働環境はすさまじいものだっただろうと私たちは想像することができる。そのころ、浩二は福岡の田川の炭坑で坑夫仲間の竜さんと飲んだくれ「もうだめじゃ」[17]とぼやく。昭は昭で浩二に手紙を送るも、やはり浩二からの音沙汰はないまま。[18]その後に至ってもゲンの母が「浩二のことが心配だわ　炭坑へ働きにいって便りもなく帰ってこんのじゃけえ」[19]と述べる。ようやく浩二が帰広するのは、母の余命が数カ月になったときのことである。このとき浩二はこう述べている。「元すまんのう　わしをゆるしてくれや……　わしは九州の炭坑へいって金をかせいで送ると家を出たまま今日までなにもしないできた……　自分勝手なことばかりしてのんだくれていたんじゃ　昭からおふくろの命が四ヶ月と知らされたときはおどろいたよ　生きているあいだにはやく帰りたいと思ったが　旅費をためるのに一ヶ月かかってしもうた　わしゃおまえらに苦労をかけたままであわす顔がないわい……　つらくて家の中になかなか入れんわい」[20]。実話では炭坑で働くことにはならなかったものの、それでもやはり「このころから長兄は酒を浴びて荒れだした。私たちのために自分の目ざした道を進めなかったことを悔しがり、母や次兄や私に当たり散らした。長兄の辛い気持ちはわかるが、酒を飲んで荒れるのには困った。これも原爆が残した罪のひとつだと私は思う[21]」と述べている。

広島（と長崎）と福岡とを結ぶいくつもの物語が存在する。当時、朝鮮戦争が勃発するなかで、炭坑は最後の盛り上がりを見せていた。被爆者健康手帳を有する人たちは、福岡が日本で三番目に多い[22]。広島から福岡の炭坑に向かった地（底）を這う者の一人に上野英信がいる。彼の言を引こう。

少年の私をとらえた闇が、それこそ地底からにじみ出るように、青年の私の心によみがえるきっかけとなったのは、一九四五年八月六日――私が満二十三歳を迎える前日の朝のできごとである。

その日、私は陸軍船舶砲兵として広島の宇品にいた。そして、その朝、原子爆弾の洗礼を受けた。いのち拾いはしたが、心は完全に廃墟と化した。京都での学業生活も、その廃墟を生き返らせてはくれなかった。それどころか、ますます絶望的に荒廃させるばかりであった。みずからいのちを絶つことだけが、私にとって、ただ一つの救いであるように思われる夜が続いた。

久しく忘れていた、あの得体の知れない闇がひそやかに私のまえにたゆたいはじめたのは、そのさなかのことである。その闇にいざなわれるままに、私は京都を去り、故郷を棄て、夢遊病者のようにふらふらと筑豊炭田の地底へさがって行った。気がついてみれば、炭坑に入っていたと言うほうが、事実であったかもしれない。気の迷いとか、魔がさしたとか、と言うよりほかに説明のしようがないわけである。そんな状態だから、むろん、炭坑へ行ってなにがしたいとか、どうしようとか、というような積極的な目的も意欲もありはしない。ましてもとより、炭坑で文学に取り組もうなどとは、まったく思ったこともない。私はただやみくもに、私の心からヒロシマを消したかっただけである。あの、人間がみてはならない凄絶な生地獄の光景を消さなければ、到底、生きて行かれなかったのである。

もしあのとき、筑豊の闇が私をつつんでくれなかったとしたら、はたして私はどうなっていたことか。そう想像するたびに、血が凍るような戦慄に襲われずにはいられない。

それにしても、ふしぎな闇の絆であったと思う。[23]

浩二と同様に、やけくそと倦怠感に陥りながらも、上野は事後構成的にであれ、炭坑で一抹の光（というより闇）を見いだしている。原爆は中沢にとって、ゲンに仮託しながら「しつこく、しつこく、伝え続ける」[24]べきものだが、上野にとっては、谷川雁からの再三の勧めにもかかわらず頑なに表現を拒むべきものだった。中沢は父の衣鉢を継ぎ、母の死による怒りから一貫して明快なまでの反骨精神を保持しつづける。しかし、上野はこうした明快なまでの（反天皇や反核といった）反骨精神というよりもむしろ、部落出身の三勇士の「天皇陛下万歳」という言葉をめぐって極東の暗部をえぐり出したり、原爆に対する「沈黙」（谷川雁）をおこなう。そして、その暗部や沈黙を突き破るようにしながら坑夫の闇をさらけ出していく。地を這う精神は明快な反骨精神を召還するだけでなく、さらに地底に潜りうごめき、叫びなき叫びをもあぶり出していく。常にすでに実のところ存在する地を這う精神に忠実であることで、私たちは地上と地底を覆い尽くすことができるのだ。

おわりに

「頑固な事実」という地を這う者たちによる表現。そのなかにゲンがいる。規範としての父と母がいて、兄弟たち、そして隆太やムスビたちがいる。『黒い雨にうたれて』の登場人物たちがいる。ということは、私たちもまた「頑固な事実」という地を常にすでに実のところ這っているのではないだろうか。レベルの浮わついた世界に決して足場はない。ときに地底に潜る。叫びなき叫びを聞く。精神の涵養は反対することのなかにある。そこには個体化された心理描写レベルの凡庸な語り口は皆無である。原爆というたった一つの出来事からゲンは地上と地底を覆い尽くすべくうごめく。私たちはゲンに学び、ゲンになる。私たちはひたすら地を這う「頑固な事実」を経験する。私たちそのものが「頑固な事実」である。そのとき、小集団に潜み、分裂の危機を常にはらみながらも、やはりそのまま生きる。むろん連帯せずには生きていけないが、孤立もなければ生きていけない。いつでも原爆を抱えながら、中沢と上野のように、分岐しながらも地上と地底を覆う。ときには明快な反骨精神で、ときには沈黙による叫びなき叫びで。放射性物質を抱えながら生きていく。「頑固な事実」を抱きしめること、このことが地を這う精神の涵養を促すのだ。

注

（1）金子光晴、清岡卓行編『金子光晴詩集』（岩波文庫）、岩波書店、一九九一年、四四〇ページ

（2）Emma Goldman, "A life Worth Living," Robert Graham ed., *Anarchism: A Documentary History of Libertarian Ideas*, Black Rose Books, 2005, p. 496.

（3）中沢啓治『はだしのゲン』第一巻、汐文社、一九八七年、一二―一三ページ

（4）中沢啓治『はだしのゲン　わたしの遺書』朝日学生新聞社、二〇一二年、七八ページ

（5）同書七八ページ、また中沢啓治『はだしのゲン自伝』（教育史料出版会、一九九四年）一八ページも参照。

（6）前掲『はだしのゲン自伝』二四―二五ページ

（7）同書一九二―一九三ページ

（8）中沢啓治『黒い雨にうたれて』ディノボックス、二〇〇五年、二七五ページ

（9）中沢啓治『はだしのゲン』第十巻（汐文社、二〇一一年）を参照。

（10）前掲『はだしのゲン　わたしの遺書』一三八ページ

（11）同書一八三ページ

（12）同書一九八―一九九ページ

（13）同書一九九ページ

（14）中沢啓治『はだしのゲン』第五巻、汐文社、一九八四年、二〇一ページ

（15）前掲『はだしのゲン自伝』一一六ページ

（16）中沢啓治『はだしのゲン』第六巻、汐文社、一九九二年、三〇ページ

（17）同書三四ページ
（18）同書一二五ページ
（19）中沢啓治『はだしのゲン』第七巻、汐文社、一九八七年、一六〇ページ
（20）同書二二一―二二二ページ
（21）前掲『はだしのゲン自伝』一六一ページ
（22）例えば日本被団協のウェブサイト（［http://www.ne.jp/asahi/hidankyo/nihon/about/about4-02.html］［二〇二四年四月五日アクセス］）を参照。
（23）上野英信『上野英信集1 話の坑口』径書房、一九八五年、二九〇―二九一ページ
（24）中沢啓治『はだしのゲンはヒロシマを忘れない』（［岩波ブックレット］、岩波書店、二〇〇八年）四七ページ以下を参照。

19

月と靄——稲垣足穂におけるリーマンと相対性理論、タルホ・コスモロジー

この黒板をお借りします。そもそもド・ジッター博士に依ると、宇宙とはこのような円錐体として抽象さるべきものであり、その頂点にユートウピアがある。普通の星々は只円錐面にそうて軸とは直角的に、螺旋経路を保ちながら徐々としてユートウピアめざして登攀するが、彗星にあっては、直接的に上方へ飛ぶのが特徴である。即ち彗星はボルシェビキであり、サンジカリストである。けれども、そこが円錐面であるために、向う側へ辷り落ちるが、落下の運動量は彗星をチャージすることとなり、不閉塞楕円的追求は、ついに楕円軌道を直立させてユートウピアに到達せしめる。ではこの彗星はいったい何者がなるのか？　普通の星が正規の進路に飽いた時、また何らかの情熱に燃え上ったさいに、だしぬけに脱線して彗星化するのであるが、これがためには、地球上にもしばしば出現する天才や革命児についてジョルジュ・ソレルが述べているところと興味ある一致を示して、どの星も、彗星になるためには、一種の神話的条件

を信じなければならない[1]。

はじめに

稲垣足穂（タルホ）は高次元に憧れる。タルホは四次元感覚の人である。かつて宮沢賢治が四次元にこだわったように、あるいはそれ以上にタルホはそれにこだわる[2]。高次元への憧れ。数学や物理学は、人文学を志す者にもときに夢を見せてくれる、想像力をはたらかせてくれる。リーマン幾何学の曲率や多様体に、そして相対性理論にも「ユートウピア」が詰まっている。そしてやはり宇宙には、どの時代の誰にとっても、語りたくなってしまう無尽蔵の魅力が存在する。

タルホの興趣はリーマン幾何学や相対性理論に対してだけ存在していたわけではない。むしろ、そこで語られている高次元的なものに向けられていた。例えば十九世紀から二十世紀にかけて、芸術の領域でも四次元が語られるようになっていて、四次元は物理学的な操作に終始するものではなかった。アルベルト・アインシュタインが特殊相対性理論を発表した一九〇五年以前にも四次元は語られていたし、そのインパクトを受けながらも、そのあとにも、物理学的な操作とはかかわりなく、芸術の世界で四次元は思考の対象になり表象されつづけていった。詩人ギヨーム・アポリネールが一一年に「四次元について」という講演をおこない、のちのキュビズムの作家たちに大きな影響を与えたという事実もある。あるいはイタリアの未来派の作家たちは、スピードという時間的なものを空間的な作品に表現していった。タルホは未来派への憧れや影響から四次元に触れていくことになり、それをより掘り下げ、同時代の物理学や、ひいてはその物理学を可能にしている幾何学へと手を染め、彼の作品にベルンハルト・リーマンやアインシュタインが何度も登場することになる。

ここでは、タルホの宇宙論であり、装丁が素晴らしい『人間人形時代』所収の「宇宙論入門」を手がかりに、彼の宇宙論の描かれ方をみていく。いうまでもなくそこでは、リーマン幾何学などの非ユークリッド幾何学を論じ、そのうえで相対性理論を論じている。物理学的な宇宙論から、彼独自の宇宙論までが議論されている。タルホの「ユートウピア」の「不可思議」が語られるのだ。憧れが語られるのだ。タルホは高次元に憧れる。

宇宙論のモチーフ、タルホによるリーマンの解説

宇宙には不可思議が詰まっている。わからない。なぜわからないか。わかろうとすると、難しい概念や数式がたくさん出てくる。だからタルホはこう述べる。

ここに困ったことは、数学の智識がない者はいっさいかかる題目に触れてはならぬと云われていることである。しかしそのような言葉をきいて、引っこんだならば、これから進んで数学を修めたいという志しもふいになってしまう。人間とは言語を使用する動物だとの定義がある。そうであるなら、数学が一つの言葉であるかぎり、それが日常用語にほんやくされぬはずはない。すでに今日、われわれは別にガウスによって創始された軌道論を知らなくても、万有引力のことを語っている。そしてこのことは間違いでも何でもない。そうだとすれば、いずれは一

般常識となるべき現代物理学上における宇宙論を、ここに、自己流に、直観的に、或いは芸術的に、うかがおうとすることは、別に何人からもとがめられないだろう。却って用心ぶかい専門家たちの忠告を真に受けたなら、現代宇宙論へ我流の飛びつきによって生まれるかもしれない未来の大数学者を、取り逃がすことになりはせぬかと私には案じられるのである。

すでにこんな試みである以上、部分的な誤謬など意に介するに当たるまい。なぜなら、われわれはこれをきっかけとして、おのおのの好む方面から、この人類最大の題目の究明にあたろうとする者であるからだ。(3)

確かに数学、しかも現代数学はかなり難解だ。しかしその難解な現代数学をなんとか日常用語で語れないだろうか。そうすれば、現代物理学で語られる宇宙論も「自己流に、直観的に、或いは芸術的に」語れるはずだ。そうタルホは述べている。まぁ、専門家たちよ、そんなに厳しく批判しないでくれ。だって、こちとら芸術家なのだから。もしもちょっとくらい間違えていたとしても、タルホの解説が入り口になって、数学の、あるいは物理学の研究の士が生まれるかもしれない。そうでなくとも、ここでのタルホの解説がほんのちょっとでも、「この人類最大の題目の究明」の役に立つことだってあるかもしれないのだ。「この人類最大の題目」、そこには「ユートウピア」が詰まっているのだ。それが数学なのだ。物理学なのだ。宇宙論なのだ。これがタルホの宇宙論のモチーフだ。

ここからタルホは、リーマンの幾何学観とアインシュタインの宇宙論の解説を始めていく。タルホはまず、リーマンのゲッチンゲン大学就任講演の有名な文言に触れる。それは「従来の三次元空間は、一般的な三次元幾何学の特別な場合に他ならぬ[4]」というそれだ。この就任講演が書物として出版されたのは一八六七年だ。ホワイトヘッドも述べるように「この講演が行われたのは一八五四年であるが、リーマンはそれにいくつかの改訂を加えることを望んだため、彼の死後に到るまで、それは出版されないままであった[5]」。幾何学の分野ではこれ以前の、「ボヤイやロバチェフスキーの仕事は、ガウスによって知られ、かつ評価されていたとはいえ、一八六六年にホイエルによってフランス語に翻訳されるまでは世に知られることもなく、また他に影響を与えることもなかった[6]」。これだけ、のちの数学に、物理学に影響を与えた理論はない。とはいえ、リーマンの死後になってようやくそれは広がったものであり、アインシュタインによって大きく取り上げられたことを考えるならば、「十九世紀の数学」というよりもむしろ「二十世紀の数学」といえなくもない。暴力批判論で知られるベンヤミンが戦前・戦中の思想家であったことはよく知られているが、よく読まれたのが戦後の社会運動時期であったことにも重なる。いずれにせよ、ここからタルホは曲率の話をする。

タルホはこう述べる[7]。「さてリーマンは次に、「一般的な三次元幾何学において、曲率がゼロならざるところの空間は、そのさかい目がなくて、有限だ」と注意した」。こうした空間について、「閉じられた面或いは空間」は有限無終だと云わなければならぬ」。それに対して、私たちが高校数学まででよく知るユークリッド幾何学は「「開かれた空間」である」。アイザック・ニュートンもイマヌエル・カントも、こちらの空間を受け入れていたのだ。十九世紀ないし二十世紀から、こうした空間とは異なる新たな発見を受け入れた哲学は、いまだ数多くはない。とはいえ、カント派から新カント派の流れしかり、そこからさらに論理実証主義や科学哲学の流れが脈々と現代に至るまで続いているし、異端かもしれないが、先に少し引用したホワイトヘッドやタルホもまたそうなのかもしれない。さて、タルホはここから、いくつかの「きわめて風変わりな曲率も持った空間」の解説をしていく。ニコライ・ロバチェフスキーとボーヤイ・ヤーノシュの双曲幾何学だ。無限遠点の話をかませて、こんな比喩も登場する。「相交わらない無数の直線とは、それらが無窮二次曲線外で、すなわち「あの世」において交わることの謂である」。この時点で、「あの世」という彼にとって直観的な語を登場させている。このことについては後述しよう。ここから、ロバチェフスキーらの定理とリーマンの定理を比較する。[8] 一つは「直線の一点を通って、これと相交わる直線および相交わらない直線はいずれも無数に存在し、且つその点を通ってこれに平行な直線は二本引ける」というもの。もう一つは、「一直線外の一点を通ってこれと交わらぬような直線は存在しない」というものだ。これらは有名な定理である。これらを取り上げたあとに、タルホは疑問を提示する。「リーマン世界とかロバチェウスキイ空間とか云うかぎり、話は立体に及されているに相違いない。立体自身がゆがんでいるとはいったいどんなことを指すのか?」。こんな疑問が浮かんでしまうのは、「そもそもわれわれが旧いユークリッド幾何学に捉えられている証拠である」。むしろ、ユークリッド空間こそ、特殊な事例なのだ。「一般の立体、すなわち、空間にたいしても曲率が考えられる」のだ。このとき、タルホが出す例は、「磁石の場」である。

あの磁力が作用している所は面ではない。どうしても空間であり、しかも一種のまがりかたにおかれていると考えないわけにはいかぬ。宇宙内の物質が存在する所には、大なり小なりこの磁場に似たものが生じて、その周囲の空間がまげられていると考えればよい。そもそもアインシュタインによれば、曲率のとりわけていちじるしい部分が、物質として感じられるのである。宇宙とは、そのように大小雑多な曲率の場の集合である。そして全体として見ると、無数の曲率は互いに消し合い、その代わりの一つの大湾曲を作って、それはあたかも球面に似たものとなって宇宙全身を閉じ込めていることであろう[9]。

物質あるところに磁力がはたらいている。磁場がある。地球でさえそうだ。オーロラが見えるのは、地球の磁力に太陽風がぶつかるからだ。そのときのうねうねと曲がりくねったさまを想起されたい。タルホはここから、そうした物質に、磁力に、磁場に満ちた宇宙を論じている。そうした宇宙だからこそ、ユークリッド的にではなく、リーマン的に記述されるべきなのだ。タルホはこのあたりから、「われわれの住む楕円世界」といった仕方で、リーマン的な仕方での三次元(ないし四次元)が私たちの世界だと書いている。タルホによる曲がった世界の比喩を少し長いが、引いてみる。

リーマンの空間では、その曲率が一方にのみついている。ユークリッド空間では曲率がゼロになっている。ところでロバチェウスキイ空間では、曲率が互いにあべこべ側についている。

麻布飯倉町一丁目の都電の分岐点が、ちょうどそんな双曲線的面の模型になっている。というのは、あそこの交叉した坂道の傾斜が互い違いになっているからだ。われわれの手の指のあいだが同様な、互いに逆な曲面からできている。それよりも、鞍型になった山間を持ってくればよかろう。山合いの峠でもよい。曲面の頂上であり、同時に曲面の底にもあたるこんな箇所の小屋番人が、周囲の斜面に一様に正しく移植されている杉の苗をかぞえてみるならば、苗木の数が、中心からの距離の自乗をこえたわり合で増えていることを知るであろう。なぜなら、すでにここは球面ではない。平面でもない。じつにロバチェウスキイ的面であるからして、与えられた円の内部には、球面や平面におけるよりも、いっそう大いなる面積があるのである。しかしこれは面である。もしここを空間に見立てるならば、或る距離を半径にした球の容積は、その距離の三乗より以上の率で増大しているはずである。こんな次第がコップのなかに見られたら、そのなかではビール一本分が納まってしまう。「ひょうたんから駒が出た」「芥子よく須弥山を蔵す」「針の孔を駱駝が抜ける」これらもあながち無稽の言だときめられぬことになる。その代わり、或るコップがきわめて大いなリーマン式曲率を持っていたとすれば、さじ一杯の水であふれてしまうことになる。コップにはそのコップの大きさだけの液体しかはいらないとは、何回も述べているように、われわれの空間的にも時間的にも、極く小さな経験範囲内でのみ通用することなのである。[10]

「われわれの住む楕円世界」でもって、なるべく経験できる範囲で双曲幾何学や楕円幾何学を理解するにはどうしたらいいだろうか。むろん、ある座標系をとり、微分可能な多様体を数学的に考察することが最も簡単なのかもしれない。しかし、タルホが述べていたように、彼はなんとか「自己流に、直観的に、或いは芸術的に」語ろうとする。しかも実際にある麻布飯倉町一丁目という場所で。もう少し直観的には、鞍型の山間で、峠で。さらに述べるならば、そこにいる小屋の番人の立場で。残念ながら、現在都電は現地に通っていない。麻布飯倉町という地名もない。しかし、麻布台に抜ける雁木坂の分岐の場所である。建物は変わっても、坂が多い江戸である。ぐにゃりと台地の上の建物は下方に向かっているかのように見える。ありえないはずのことが起こってしまっている事実も「あながち無稽の言だときめられぬことになる」かもしれない。だからタルホにとって、「あの世」で無限遠点が交わるのかもしれないし、高次元とはいまだ「ユートウピア」なのかもしれない。

四次元、あるいは相対性理論の宇宙

こうした幾何学的前提についてリーマンやロバチェフスキーを語りながら解説し、ここから、「われわれの住む楕円世界」という文言は、「現実界は四次元世界の断面である」[11]という語りに変化していく。タルホはこう述べている。

しかしいったん、太陽の周囲の空間の湾曲が日食観測にあたって確認されたとなると、かれら地上のものならぬ幾何学は、にわかに吟味の対象とならなければならぬ。それはもはや点や面の位置関係だけを扱うものだけでは許されなくなる。数学上の空間にはいろんな種類があってよろしいが、物理学上の空間はそれらのうちの一つでなければならぬ。しかもそこでは、測ることができる長さ、角度、体積、或いは有限や無限が扱われねばならぬことになる。こうしてリーマンの楕円幾何学がアインシュタインの理論の台として採用されたが、ここでは空間以外に、時間も一次元として取り入れられている。「三次元幾何学にあてはまることは、任意の次元数を持つすべての幾何学にたいしても云える」とリーマンに述べられた次第が、この場合にも適用される。時間は第四次元として幾何学中に加えられたからである[12]。

アーサー・エディントンらが実証した日食観測によって、「空間は湾曲していた」ことが明らかになった。このとき、一般相対性理論もまたリーマンの就任講演と同様、発表してからすぐさま反応があったわけではなかった。第一次世界大戦のさなか、アインシュタインの一般相対性理論はド・ジッターを経由してケンブリッジのエディントンのもとにゆっくりと届けられ、その可能性が現実化するに至った。その一般相対性理論のなかで、リーマン幾何学に端を発する着想が取り入れられていた。先に引用した時間への応用もそう捉えることもできるし、テンソルという高度な数学的題材が一般相対性理論に取り入れられていた。後者の点についてタルホは触れていない。この点はテクニカルなものなので、タルホのモチーフからは遠く離れるが、補足するという仕方で若干後述しよう。まずは、この第四次元についてだ。

タルホは四次元を導入する際にこう述べている。「しかしこのやりかたはアインシュタインが最初ではない。時間を第四の次元にしたのは、十八世紀中頃にいたダランベールで、彼の考えを拡張して新創意の幾何学を打ちたてたのが、ロシア人のヘルマン・ミンコフスキイである」[13]。十八世紀から十九世紀、そして二十世紀に至るまで数多くの物理学者たちが四次元を考察していた。ジャン・ル・ロン・ダランベールもそうだし、ジョゼフ＝ルイ・ラグランジュもその一人だ。アンリ・ポアンカレもそう。冒頭にも述べたように、これは物理学（や数学）の専売特許というわけでもなく、芸術でも文学でも様々な領域で考察され、表象されていた対象だ。タルホはこう語る。

ミンコフスキイは、一九〇八年の秋、ケルンで開かれた万国科学者大会の講演で、次のように述べた。

「今日以後時間そのもの、空間そのものは蔭の下に没し去り、ひとりこの両者を結合したものだけが独自性を保つであろう」

じつにこのときから、かれが云うがごとく、「物理学は四次元幾何学の第一章」となったのである。物体の運動を定める速度とか距離とかは時間を除いては意味がない。それは競技場におけるボールの運動が、長さや高さのほかにタイムと関係しているのと同様である。ひとり物体にかぎらない。物質とは電気粒子の集合であり、宇宙間のあらゆる現象はつまりは電磁気的なものである。かかるすべての出来事は時間と空間がいっしょになった場所で起る、とミンコフスキイは考えた[14]。

どんな物体であれ、空間を占有していると同時に、時間を占めている。物体を空間だけで考えることは、抽象的すぎる。本来物体は四次元（あるいはそれ以上の次元）を有するはずなのに、これまで物理学は三次元的にしかそれを表現してこなかった。アインシュタインの考えを含み合わせれば理解できるように、すべては「電磁気的なものである」。それは歪んでいるし、そして時空的なものである。そこで、「ミンコフスキイは、x、y、zの三軸のほかに、時間経過を示す物差しtを差し加えた[15]」。これによって表現される時空が「ミンコフスキイ世界」である。またタルホは、このミンコフスキー時空の比喩でこう語る。

いや、こんな面倒なことに頭をひねらずとも、われわれはあの映画フイルムを考えたらよい。画中の樹木や家屋は別にうごいていなくても、どのコマにも現れて、フイルムの運動方向と並行につらなっている。これが静止している事物の世界線である。もしこれら世界線がたえず左右にずれているならば、人間、犬、自動車、その他うごくものの世界線だと云うことになる。この次第をもって、各原子の数万億条の世界線が互いに連れ、入れ代り、うねっている生動の布目におきかえたならばミンコフスキイ世界がほうふつとするであろう。もし一箇の原子が消滅するならば、とたんにその世界線は切れて、そこから輻射（光や熱の放散）の世界線が四十五度の方向へ走ってゆく。人間や動物や植物の世界線のたばは、他の世界線を取りこんでたえず太っている。そのなかにあって人間の線束が特に活発に移動し、この特殊な線束にそうてのみ、われわれは他の事物の世界線に触れているのである。[16]

タルホはここで映画のフィルムのコマを例にとる。コマが動きながら、それが動く。それを見ている私たちも世界線である。世界線とは、ミンコフスキー時空のなかで表される線である。点は世界点。「世界線のたば」となると、さすがに線の交差を無視した数学的誤謬になりかねないが、そうとはいえ、この世界は、世界線に満ちていることになる。四次元の物体に、出来事に、光に満ちている。こうしたミンコフスキー時空をアインシュタインは取り入れて、自らの相対性理論を表現した。

タルホ・コスモロジー

この宇宙には不可思議が詰まっている。まだわからないことだらけである。タルホはその不思議さに魅了されていた。この宇宙を理解するためなら、数学やそれに基づいた物理学をも導入していった。萩原朔太郎の『猫町』(版画荘、一九三五年)を思い浮かべてもいい。つげ義春の『ねじ式』(小学館文庫〕、小学館、一九七六年)でもいい。日常には、夢か現実か、はたまた幻か、訳のわからない現象が数多くある。オカルトでもいいが、なるべく理路整然と理解したい。そんなときタルホはリーマンを、アインシュタインを思い浮かべていく。おそらく、このことが、「宇宙論入門」を書く、より深いモチーフなのではないか。こんな文言がある。

ここに美しい花がこつえんとひらく。みどり児が胎内から出てくる。宇宙空間に原子緑色星雲が誕生した。シューベルトやモーツァルトの旋律がわれわれを酔わせる。すべてこれらは何であるのか？　おそらく多次元的消息につながるものではないであろうか？　ジーンズ卿の比喩をかりるならば、夕立というものを知っていないミミズらは、かれらの住居がしばしば濡れることについて、ただその率をもって議論するよりほかはないのである。そうだとすれば、われわれにおけるいわゆる「不可思議」は、小次元の狭いワクの内部から見ている多次元的現象ではあるまいか？　壁面にうごく魔法の影絵が三次元空間中に生動する者からきているとすれば、現にわれわれが時間空間中に見ているいろんな生起は、四次元以上の世界からの投影にすぎぬのではあるまいか？　すでにカルツァは、時空の四次元に五次元を加えて測地線（最短距離）の方程式を求めると、万有引力と共に電気の項が得られることを示した。されば、花や、誕生や、死や、夢や、妖精や、さては予覚や、芸術によってもたらされる陶酔や、形而上学的思索からくる高揚感や、すべてこれらは、今日われわれがそれらにたいして与えているようないかなる解釈をも超えたものである。説明はもっと簡単に、もっと明確に、さらに別な所にあった。こういうことが近い将来に判ってくるのではないだろうか？(17)

おそらく、人類は様々な「不可思議」を経験している。しかし、それらすべてを理路整然と理解する方法はまだまだだ。タルホが生きていたら、超ひも理論にも飛びついていたことだろう。彼は自らの全作品を『一千一秒物語』の注釈だと述べていた。『一千一秒物語』には宇宙、とりわけ月がふんだんに登場する。例えば「ポケットの中の月」を引いてみる。

ある夕方　お月様がポケットの中へ自分を入れて歩いていた　坂道で靴のひもがとれた　結ぼうとしてうつ向くと　ポケットからお月様がころがり出て　俄雨にぬれたアスファルトの上をころころころころころとどこまでもころがって行った　お月様は追っかけたが　お月様は加速度でころんでゆくので　お月様とお月様との間隔が次第に遠くなった　こうしてお月様はズーと下方の青い靄の中へ自分を見失ってしまった(18)

月が自分自身を見失う。それによって、靄のなかの月模様が生まれたかのようだ。年中明るく私たちを照らすわけではない。そうではなく、月は陰影を伴うようになった。様々な姿を私たちに見せるようになった。月のことを人類が知れば知るほど、謎が多くなる。物理学で四次元が表現されるようになれば、さらなる高次元による表現が求められるようになる。加速度という言葉が小説空間に表れている。空間中に時間の成分を組み込むことによって、四次元に到達したと思いきや、月は靄にかすむようになってしまったではないか。それは別段、悪しきことでもない。善いことでもない。倫理的な問題なのではない。ただ淡々と、私たち人類の知恵はゆっくり時間をかけて、謎を増やしていくだけなのだ。しかし靄にかすもうとも、そこには「ユートウピア」があるとタルホは信じる。そうした神話的条件を設定することで、一人ひとりが自ら無名の彗星となり、革命を生ぜしめるのではないだろうか。タルホは高次元に憧れる。

注

(1) 稲垣足穂「彗星倶楽部」『稲垣足穂コレクション1 一千一秒物語』(ちくま文庫)、筑摩書房、二〇〇五年、三四四—三四五ページ

(2) 宮沢賢治の四次元感覚は、例えば、「春と修羅」でも「四次元延長」という文言が出てくることや、四次元の旅としての「銀河鉄道の夜」が有名である。むろん、物理学的に厳密にしようとしていたというよりもむしろ、「四次元」という言語感覚であったり、自らの動きを俯瞰できるような「幻視」にそれを当てはめて考えていた節があるかもしれない。「銀河鉄道の夜」は時空を旅する、いわば死者と生者の時空が相互に入れ替わることに「四次元」という意味合いが付与されているように思われる。

(3) 稲垣足穂『人間人形時代』工作舎、一九七四年、一五二—一五三ページ

(4) 同書一六六ページ

(5) アルフレッド・ノース・ホワイトヘッド「非ユークリッド幾何学」『科学・哲学論集』下、井上健/橋口正夫/村形明子訳(「ホワイトヘッド著作集」第十五巻)、松籟社、一九八九年、四〇二ページ

(6) 同書四〇一ページ

(7) 前掲『人間人形時代』一六九ページ以下を参照。

(8) 同書一七三ページ以下を参照。

(9) 同書一七五ページ

(10) 同書一七八—一七九ページ

（11）同書一八三ページ
（12）同書一八三—八四ページ
（13）同書一八四ページ
（14）同書一八四—一八五ページ
（15）同書一八五ページ
（16）同書一八六—一八七ページ
（17）同書一九八—一九九ページ
（18）稲垣足穂「一千一秒物語」、前掲『稲垣足穂コレクション1　一千一秒物語』二四ページ

アナキズム思想篇

20

石川三四郎における地球の思考

――ヨーロッパ滞在から土民生活へ

はじめに

「土民生活」概念は石川三四郎の思想で、アルファでありオメガである。石川は一八七六年に生まれ、一九五六年まで生きたアナキストだ。この間、石川が残した彼独自のアナキズムは、現代にあっても注目に値すると思われる。仮に都市と地球のアナキズムがあるとして、石川のものは地球のそれだ。サンディカリズムの多くは都市の労働者の抵抗と結び付くが、そのなかでも農民の自治に着目した石川の考察は、職種そのものの組合というよりもむしろ、生のあり方そのものに向かう。生を営むうえで食は欠かせない。食の生産と、その土地の土壌や風土・気候はきわめて密接なものだ。北半球が寒ければ、南半球は暑い。一見単純な労働に思われる食の生産とは、地球と密接でなければままならない作業なのだ。その食を自らの手で作り上げ、生きていくことを石川は希求する。この意味で、石川のアナキズムは、農地の、というよりもむしろ地球のアナキズムだといえるだろう。この石川独自のアナキズムを語るうえで欠かせない概念がある。土民生活だ。土民生活とは、のちに述べることになるが、いわば、私たち自身でその地に住まい、日々の生活に必要な営みをおこなっていくことである。この生の営みをおこなうなかには、国家や資本主義など必要ない。地球こそが最も重要なものになる。

ここでなぜ石川は土民生活を編み出したのだろうか、という問いが浮かび上がるだろう。この問いに対してはこれまで数多くの解が与えられてきた。ここではそれらの解を踏襲するとともに、この土民生活のアナキズム的な側面を石川の思考にのっとりながらさらに補強し、石川のなかでの思想上の位置を見定めていきたい。

この土民生活概念が誕生するにあたってしばしば述べられるように、石川が主にヨーロッパ（特にフランスを中心として、ベルギーとイギリス、そしてアフリカのモロッコ）に七年以上滞在したことはきわめて重要な経験だったと思われる。石川はこう述べている。

> 私はヨーロッパに行つて、会ふ人も会ふ人も、悉くといつてよろしいほど、単純生活、労働生活の実行者であり、純潔な修道者のやうに見えたのに驚かされた。エドワード・カアペンター、ルクリュ一族、チエルゲゾフ、グラーヴ、トルトリエ、ピエロー、何れも徹底した単純生活者で、各々自らの生活に平和な自然な真実の光を湛えてゐるのであつた。特にアナルシスムを説くのでもなければ、新らしい道徳を主張するでもないが、唯だこの世俗に見られない光と薫とを身辺に放つてゐる。それだけだ。それでその身辺に及ぼす感化力は深刻なのである。[1]

石川がヨーロッパで出会った人々から多大なる影響を受けたのは間違いない。そこで出会った人々は「単純生活、労働生活の実行者」である。党の幹部でもなければ、ましてや国家の運営に携わるのでもない。そうしたなかにあって、みな「光を湛えて」いて、周囲に影響を与える存在ばかりだ。とりわけエドワード・カーペンターとルクリュ一家に関しては、石川は並々ならぬ影響を受けた。日本にいるときからカーペンターへ慣れない英語で手紙をしたためていたし、ルクリュ一家に至っては、一緒に生活を営んでいた。この経験・思想的背景から石川は、ヨーロッパからの帰国後、土民生活を語り始めた。ここでは、この石川の思想の中心概念ともいえる土民生活の着想をこのヨーロッパ滞在からどのように得たのかという点について、それぞれの地域での経験と思想をもとに精査していく。

「石川のイギリス」では、イギリスの詩人・思想家であるカーペンターの考えを石川がどのように受容したのかについて検討し、さらに「石川のフランス」では、石川のフランス（とベルギー）滞在についてみていく。イギリスでカーペンターの存在が重要だったのと同様に、フランスではルクリュ一家との邂逅がきわめて重要である。そこで労働に従事、それも農作業に従事し、エリゼ・ルクリュの思想から触発されたという点をみていく。「石川のモロッコ」では、ルクリュ一家とともに石川がモロッコでの滞在で一体どのような刺激を受けたのかにふれ、モロッコでの経験が、最終的に土民生活という語にまとまっていく軌跡をみていく。最後に「土民生活」として、これまでの議論を受けて、石川が展開した土民生活概念を一瞥し、石川の着想が彼独自のものであるとともに、彼にとってのアルファでありオメガであるという点を再確認する。

石川のイギリス──いかに石川がカーペンターの考えを受容したのか

彼が土民生活概念を練るうえでの一つの重要な契機として、カーペンターから着想を得たということを石川自身が述べている。[2] 石川のカーペンターとの出会いは、獄中である。一九一〇年の二度目の獄中で読んだブリス『社会改良辞典』やシドニー・ウェッブ『英国社会主義』のなかに、カーペンターの記述を見いだした。出獄後、カーペンターの『文明、その原因と救済』、クロスビーの『エドワード・カーペンター　詩人予言者』を読んで、「曾つて経験したことの無い力を此二小冊子によりて授けられたる心地がした」[3] と述べている。その後も数々の著作を貪り読み、のちに一二年、『哲人カアペンター』（東雲堂書店）として石川はモノグラフを著した。またそれだけでなく、〇九年十二月四日から一九年十月七日に至るまで、断続的にではあるが、英語でカーペンターと手紙をやりとりしている。例えば、一〇年の時点で、「近代文明」と、それに対する「古い自然の習慣」という観点から日本の紹介をしている。

総じて我が国は近代文明による荒廃を放置していますが、国民の中には古い自然の習慣の多くが残っています。もし日本の住宅や衣服、その他の生活様式がいくらか改良されれば、非常に健康的なものになるでしょう。最近では、官吏や都市の労働者は、西洋の服装や靴を着用するようになりつつありますが、しかし農村の労働者はまだ常時、日本のゆったりとした着物や草履を身につけております。それは、われわれにとってむしろ健康的に思われる姿であります。[4]

カーペンターの文明論では、近代的な文明よりもむしろ、自然と一体になった生活こそが人間にとって自由を謳歌することができると述べている。[5] この議論を引き受けた石川からすれば、日本の都市部の多くは不自由で、不健康である。その一方、農村では自由と健康に満ちた生活を送ることができるとして日本を紹介している。『哲人カアペンター』でも「彼［カーペンター］が人生の幸福とする所は、実に所謂非文明的なる質素粗樸なる生活にあるが故である」[6] と述べる。ほかにも「彼は今日の文明を以て疾病なりと批判した。彼は文明人の心的、身的、社会的生活が恐るべき疾病に陥れること、野蛮人の生活が其総ての点に於て遥かに健全なることの、事実を示して居る」[7] という仕方でカーペンターの議論をまとめている。文明よりも非文明、あるいは野蛮、都市よりも農村、不自由よりも自由、不健康よりも健康を希求するものとしてカーペンターの議論を語り、そして石川もまたそれに触発を受けて、そうした点に着目しているのは間違いない。

このようにカーペンターから触発された石川がのちにヨーロッパへと赴く際に、是が非でもカーペンターに会いにいきたくなるのは当然のことである。「ブリュッセルにきてからも、カアペンター翁になんとかしてあいたいという念が常に私の心を去らなかった」[8]。こうしたなかにあって、石川は、「当時自分の生活態度に随分深刻な悩み」[9] があった。というのも、「今日の資本主義的社会組織の不合理を唱え、それを改革せねばならぬと主張する者が、自らその制度の余沢によって些かでも搾取的生活をしたのでは、主張も唱道も意義をなさない、こうした不合理な生活から些かでも自分の身を軽くする方法は、今の社会におこなわれる最下級の労働を出来るだけ分担した上、自分の生活を最小限度に縮めることだと[10]」考えていたからだ。資本主義体制下にあって、複雑怪奇な仕方でいやが応でも、その体制に巻き込まれて暮らさざるをえないその現状に、石川は不満をもっていた。だから、せめて質素に「真実の生活態度[11]」を有しながら暮らしていきたいと思っていた。この「真実の生活態度」を有している者こそ、カーペンターだったのだ。

一九一三年四月に石川がブリュッセルに着き、その半年後、念願かなってカーペンターが住むミルソープに向かった。カーペンターはどういった暮らしを営んでいたのだろうか。カーペンターが詩人ウォルト・ホイットマンに宛てた手紙によれば、こう記されている。

> 全部で七エーカーの土地をもっています。私たちは約二エーカーに果物、花卉、野菜を栽培しています。二エーカー半は草地、ほぼ同じ広さの土地を、その一部は私たちの消費する小麦、一部は馬のための燕麦にあてています[12]。

こうした生活に対して、ウィリアム・モリスはこう述べていた。

彼と彼の仲間が、ほとんどそれだけで暮らして行けるという。自分たちの小麦を栽培し、花や果実をチェスターフィールドやシェフィールドの市場に送る。すべてが私には快く聞こえる。真に生活を楽しむ方法は、必要な些細なことをすべて受け入れ、興味を抱くことによってこれを喜びに変えることだと思う。[13]

こうした文言をみるにつけ、カーペンターの暮らしはのちに石川が千歳村で始めた土民生活にきわめて酷似しているように思われるが、この点については後述する。いずれにせよ、このカーペンターとの出会いが石川の土民生活概念の形成にとってきわめて重要であったのは間違いない。のちに、土民生活にルビを振ってデモクラシーと読ませる石川だが、それは、間違いなくカーペンターとの会話から影響を受けている。

大正二年、私が初めて旧友エドワード・カアペンター翁を英国シェフィールドの片田舎、ミルソルプの山家に訪うた時、私は翁の詩集『トワアド・デモクラシー』について翁と語ったことがある。そしてその書名「デモクラシー」の語が、あまりに俗悪にして本書の内容と少しも共鳴せぬのみならず、われらの詩情にショックを与えることの甚だしきを訴えた。するとその時、カ翁は「多くの友人からその批評を聞きます」と言いながら、書架よりギリシャ語辞典を引き出してその「デモス」の語を説明してくれた。その説明によると、「デモス」とは「土地につける民衆」ということで、決して今日普通に用いられるような意味はなかった。今日のいわゆる「デモクラシー」はアメリカ人によって悪用された用語で、本来の意味は喪われている、というのがカ翁の意見であった。そこで私は今、この「デモス」の語を「土民」と訳し、「クラシー」の語を「生活」と訳したのである。[14]

一九一三年に石川がカーペンターと会った際に、「デモクラシー」概念をめぐって会話が交わされた。イギリスやアメリカでデモクラシーとして一般に流布しているものとは、議会制民主主義であり、直接民主主義ではなかった。これは現在の日本でも同様かもしれない。そうした点が「俗悪」であるにもかかわらず、カーペンターはこの概念をタイトルにして詩を著していた。むろん、カーペンターとてその語の「俗悪」さは知りえていただろうが、しかしこの語本来の意味を見いだすことで、デモクラシーという語を使用していることを石川に詳らかにした。本来の意味とはここでも語られているように、「土地につける民衆」、つまり土地とともに生きる私たちのことである。この意味では議会制民主主義などみじんも関わりがないのは明らかだ。そしてここから石川は着想を得て、のちの土民生活という語を練り上げたと考えられる。しかし、そこに至るためには、もうふたひねり、ある。続く「石川のフランス」「石川のモロッコ」でそれに触れていこう。

石川のフランス――いかに石川がルクリュの思想を受容したのか

石川が七年あまりヨーロッパに滞在した内訳は、ブリュッセルに約一年七カ月、パリ北方のリアンクールに約一年三カ月、フランス南部のドムに約三年半、モロッコに約半年である。この間に「石川のイギリス」で示したのが、カーペンターのもとを訪問したブリュッセル滞在時のことで、前述してきたことでもある。土民生活の萌芽がこのヨーロッパ滞在にあることをここでは明らかにしていくが、イギリス滞在に加えて、それ以上にフランスでの生活は、石川にとって土民生活を体得していくためのものだったといっても過言ではない。

前述してきたように、「質素粗樸なる生活」こそが「真実の生活態度」とするカーペンターの考えを石川なりに受容してきたなかで、「自分の生活を最小限度に縮めること」が石川にとって課題だった。何よりもまず、働きたい。むろん、そうしなければヨーロッパ滞在生活がしのげないという理由もあるが、資本主義によって抽象化してしまった複雑怪奇な仕事よりも、石川自身がそれとは異なる労働を経験していきたいと望むようになったのは事実である。こうしたなか、日本にいたころから知り合いだった外交官のフェルナン・ゴベール、そしてたまたまベルギーに居合わせた褚（ちょ）民誼（みんぎ）とブリュッセルで親密になった。ゴベールは、石川の亡命を事実上手配した、横浜在住のベルギー副領事である。彼とともに石川の亡命を手伝ったとされるのが中国の女性革命家・鄭毓秀（ていいくしゅう）だったのだが、石川がブリュッセルにいたころに、ゴベールはニューヨークに転任、そして鄭は袁世凱暗殺未遂で処刑されたと報じられていた。このことを石川とゴベールは手紙でやりとりするなかで、ゴベールは急遽ブリュッセルにやってきて、相談する仲にもなっていた。そしてその鄭の活動仲間だった褚も彼らの相談に参加し、その褚からポール・ルクリュを紹介してもらうことで、ついにルクリュ一家と出会うのだった。ポール・ルクリュは、伝説的なアナキストで地理学者だったエリゼ・ルクリュの甥であり、エリゼ・ルクリュの資料などを引き取り、自身も比較宗教学や人類学の教鞭を執る研究者だった。ちなみに鄭の処刑はのちに誤報であることがわかり、一同は安堵した。[15]

さて、ポール・ルクリュを紹介してもらった石川は早速ルクリュと出会い、彼の家に住み込み、フランス語を教えてもらいながら仕事も斡旋してもらった（厳密には、ルクリュの同僚のポール・ジルから紹介を受けた)。一九一四年四月のことだった。このときの仕事はペンキ職人だ。

> 最初に当てられた私の仕事は両梯子の頂上に立って高い天井裏に下塗りをすることであった。左手に白色ペンキを満たしたバケツをさげ、右手に大きな刷毛を持って、毎日十時間も左官の仕事をすることは、私にとってはかなりの苦痛であった。最初の二、三日は発熱して夜分もよく眠れなかった。殊に梯子の頂上に立つ足の緊張とその疲労は甚だしかった。一度すべれば生命はなくなる。危ない芸とうだ。けれどもこの場に及んでは一心不乱であった。今思っても戦慄を禁じ得ない仕事が事もなく遂行された。環境が私を鍛えてくれたのだ。[16]

石川は、ペンキ職人の仕事で次第に労働者としての自信をつけていく。五日目にはすでに「少々芸術的な仕事を担当するようになった」[17]。しかし、この生活にも暗雲が立ち込めるようになる。同年の七月二十八日に、第一次世界大戦が勃発してしまったためだ。三カ月でこの仕事は終わった。

ブリュッセル新大学の教員をしていたポール・ルクリュ一家は先にベルギーを出た。ドイツ軍が次々とベルギーに侵攻し、要職に就く者は逮捕されていく。石川は籠城せざるをえなくなり、ルクリュ家の留守を預かっていた。石川がルクリュ家に稼いだお金の大半を家賃その他として支払っていたのだが、実際には食費しか取らず、残りのお金はルクリュ一家がブリュッセルを出る際に、石川に戻していた。半年ほどなんとかギリギリの生活を営みながら、一九一五年一月にベルギーを脱出し、パリを経由して、ルクリュ一家が住まうフランス南部のドムに向かった。この間、ポールはパリの弾薬工場で働き、ポールの妻であるマルグリットと石川がドムに残った。実はマルグリットは心労がたたってか、半身が不随になってしまっていて、その世話を石川がすることになった。加えて、ドムにあるルクリュ宅の庭には畑があったものの、荒れたままになっていた。石川からすれば、ルクリュ一家への恩に報いたいという気持ちと、ミルソープで見たカーペンターのような暮らしをしてみたいという欲求が満たされる場所だった。このようにして、一六年六月から二〇年七月まで、モロッコに半年滞在したことを除けば、ドムを中心に生活するようになった。当時の様子を椎名其二はこう述べている。

ドンムに於ける石川さんは、何んと云う誠実さをもつてマダムの介抱に努められたことか。夜中でさへ少くとも一度は必ずマダムの様子を見に行くのであつた。ひるマダムの方が暇になると私共は大概一緒に野菜畑葡萄畑などの仕事をしたが、石川さんはよくねむいねむいと云つていた。それでも夕食後十二時頃までは菩提樹の覆ひかぶさつた窓の前で、石油ランプの黄色い明りをたよりに、こまかい、綺麗な文字をつらねることを怠らなかつた。(18)

石川は熱心にマルグリットの世話をし、畑に出て作物の世話もした。また「萬朝報」の一面下段に掲載されるヨーロッパ情勢に関する記事をせっせと書いた。寝不足になりながらも、石川はこのドムの街で生きがいを見いだしたといってもいいのかもしれない。こうした経験が、カーペンターとの思想的邂逅を経たうえでの実践として、石川にとってきわめて重要なものになったのは間違いない。のちの土民生活の萌芽がここにも見て取れる。

またこの間、フランス語の勉強と称して、日常会話はマルグリットとコミュニケーションをとり、そして活字はポール・ルクリュの叔父であるエリゼ・ルクリュの文章を読んで過ごした。土民生活は、カーペンターだけが石川の思想の源泉ではなく、ルクリュ一家との生活（と思想）もまたそうだったのだ。[19] 石川が頻繁に引用するエリゼ・ルクリュの文言がある。石川がこの間の生活を営むうえで、金言として常に立ち返る言葉だったということが想像できる。「解放の力学」から引こう。

幸福とは、人が自己の欲する一定の目的に向かつて進むといふ意識にある。吾等の起源、吾等の現在、吾等の近き目的、吾等の永遠の理想を達観し、体現して、地球そのものと一体になり、また人類一体の意識をも確かに握り、人類や動物や植物やの各自の生活に適するやうに其環境を分配し整理し、吾等の庭園即ち地球面を交錯し、吾等を囲繞する陸と海と大気とを整頓する。乃ち此の如くにして始めて進歩は行はれるのである。[20]

この文言は、エリゼ・ルクリュの『地人論』の結語でもある。この文言に対して、石川は「綜合的力学」[21]とも述べている。石川からすれば、幸福は理想郷にあるのではなく、日々努力して生活していくことにある。理想を日々の生活に見いだしていくことで、「進歩」が達成されていき、宇宙を進展させていく。[22] そのために、私たちがどこからやってきたのか、私たちはどこにいるのか、近い将来どうするのか、遠い未来にどうなるのかを思いなし、地球のなかの一員である私たちそのものの存在を思いなし、地球そのものを思いなしていくこと。これが土民生活の原理として、のちに語られるようになる。畑の作業をすることは地球と対話することでもある。今年作物がとれなかったのは、寒さのせいだったりするだろう。北半球の冬が寒い年は、南半球は暑い。地球そのものとの関わりを、ちっぽけな人間とて実感せざるをえない。その際に知恵をはたらかせ、作物がとれるように毎年工夫をする。それがルクリュから引き受けた石川の「進歩」の内実である。だから農作業は保守的なものでは決してない。ひたすら進歩と隣り合わせなのだ。

石川のモロッコ――石川はモロッコ滞在から何を得たのか

土民生活に至るまでの最後のヨーロッパ滞在に触れてみよう。いうまでもなく、モロッコはヨーロッパではないが、彼が七年以上の滞在のなかで、ベルギー、イギリス、フランスと滞在してきたなかでもきわめて特異な場所であり、モロッコにいた軌跡を追うことで、土民生活概念の練り上げに対してきわめて大きな影響をこの経験から析出することができる。

石川は一九一九年十一月三十日にボルドーからポール・ルクリュ、マルグリット・ルクリュとともに船に乗り、十二月四日にカサブランカに到着した。そこから車で移動してマラケシュへ向かい、そこを拠点におよそ七カ月滞在した。帰りはカサブランカからジブラルタルへと石炭船に乗り、スペインへ。そして汽車でボルドー、そしてドムへ戻った。このモロッコでの滞在はのちの石川の土民生活概念の創出に影響を与えているだけでなく、『古事記神話の新研究』(三徳社、一九二一年)の執筆やエリゼ・ルクリュの『地人論』の翻訳(春秋社、一九三〇年)を始めたきっかけにもなっていた。[23]石川はモロッコについてこう述べている。

私が此マロック国に旅をしたのは、渡欧の最初から骨肉も啻ならぬ程親切を尽して世話になつたポオル・ルクリュ氏夫人看護の為であつた。ポオル氏は神話学及び宗教史の権威エリイ・ルクリュの長子、地理学の泰斗エリゼ・ルクリュの甥で、私が一人の知人も、一銭の貯蓄も無き漂浪者として白国ブラッセル市に着いた時は、同地新大学の教授であった。叔父エリゼが逝去の後、其仕事を相続したのである。叔父がバクニンやクロポトキンの親友であり、無政府主義の先輩であつたので、ポオル氏も一時仏国無政府主義の中心人物となつてゐたが、ヴァイヤン青年が議会に爆弾を投じた事件に連坐して二十年の懲役に処せられ、脱走して英国に亡命し、私がブ市に行つた当時は尚ほ日蔭の身の上であつた。此記事に関係の深い、そして半年の間、私達が寄寓したマラケシの家は、即ちポオル氏の令弟アンドレ・ルクリュといふ人の邸宅であつた。総てが大きい阿弗利加の自然界にあつては、左程に珍らしいことではないが、欧羅巴から行つた私達の眼には同家の庭園は実に宏壮雄大なものであつた。広い庭園の周囲は厚さ四五尺、高さ一丈余の土塀を繞らし、或る箇所は丈余のシャボテンが墨柵となつてゐる。天空高く聳ゆる檳榔樹の頂頭に鈴の房の如く生成せる黄色いダートの実には、幾十の小鳥が群り来つてその甘味を貪り、嬉々として囀つてゐる。滴る様な濃き緑葉のシトロニエの並木は、黄金玉の如き無数のシトロンを鏤ばめて庭園を飾る。そこに放牧される数頭の牛に伴ふてピックボオと称する幾羽かの白鳥が、しなやかな、のどかな歩みを交はしてゐる。ピックボオは白鷺に似て其よりも美しい鳥であるが、牛の顔面に巣食ふ小虫を嘴漁するの故を以て牛達の歓迎を受け、牛の親友となつて庭園を飾るのである。形に於て美しいばかりでなく、其交友相互扶助の床しさに於て亦羨ましい程美しいのである。かうした平和にして長閑な庭園には、又毎日一匹の白鶴が天女の如く舞ひ降りる。そして牛やピックボオの賓客の如く其辺を逍遥して去る。[24]

半身が不自由になったマルグリットの療養のために、ポール・ルクリュの叔父の家に滞在した。石川がここで描いているように、マラケシュの風景は大変美しく、療養にもさぞ効果がありそうな場所だと判断したのだと思われる。石川の眼には、一種の桃源郷のように映っていたようだ。自然は大変美しく、「水壺をかつぎて集ひ来るアラビヤ乙女の白衣を被つた妙なる姿に心を奪はれ[25]」「総てが私に取つては夢の世界[26]」だった。

とはいうものの、モロッコはフランスの植民地であり、フランスの圧政下にあったのはいうまでもない。ポールの叔父であるアンドレ・ルクリュもモロッコに入植し、事業を手広く展開していたがゆえに、広大な邸宅に住まうことができていた。そのルクリュ一家とのつながりで奇妙な人物に石川は邂逅した。ド・ラトウレットという人物だ。名前から推測できるように、フランスの元貴族階級の人物でモロッコでは資本家だった。どのような点で奇妙かといえば、ド・ラトウレットはその妻も含めて、「吾々の生活は階級闘争の生活だ[27]」と述べていたことにある。資本家が一体なぜ「階級闘争」を口にするのだろうか。

石川によれば、ド・ラトウレット家は旧体制のフランスでは貴族だったが、フランス革命後、その財産のほとんどが没収されてしまい、革命を起こした民衆を憎んでいたという。だからこそ、「労働者を出来るだけ酷使する」[28]。単純ではあるが、反動主義者だったのだ。こんな逸話がある[29]。あるとき、この一家の応接室にあった金品が盗難にあった。モロッコでは窃盗がおこなわれたら、その地域の連帯責任となる法があったようだ。そこで、そこの村人が全員取り調べにあうが、誰一人として口を割らない。周囲から恨まれているド・ラトウレット夫妻とて、その地域の検察も宗主国側の威厳もあり、損害すべてを村人全員に負担させた。結果、ド・ラトウレットは「結局少しばかり儲かりました」とルクリュ一家に伝えたという。それに対して石川は「この位徹底すれば、階級闘争も本ものになる」[30]と述べている。

階級概念はともすれば、資本家側による闘争の拠って立つ概念としてその語が扱われかねない事例として石川は皮肉を述べていると思われる。石川が帰国後、多くの社会主義者たちが拠って立つ階級概念を使用せず、独自に別の概念を使用することになった一つの契機として見て取ることができるだろう。一九〇六年の時点で実のところ石川は、「階級戦争論」という論題で階級概念を肯定的に扱っていた。その後、獄中で書き上げた『虚無の霊光』（一九〇八年）で、マルクスによる階級戦争論とクロポトキンの相互扶助論とを相対化し、クロポトキンが与えた考察に賛同していた。こうした前提もあり、このモロッコでの経験から階級概念を放棄したと考えることができるのではないだろうか。事実、その後に石川は、多くの社会主義者が拠って立つこの概念を基盤にするのではなく、土民生活概念を基盤に議論を主張するようになったのだ。

土民生活

ここまでで土民生活概念がどのようにしてヨーロッパでの経験から練り上げられたのかを析出してきた。冒頭にも引用したように、「単純生活、労働生活の実行者」こそ「光を湛えて」いる。ブリュッセルでは、ペンキ職人として労働生活を遂行した。またミルソープでのカーペンターの生活実践は、きわめて理想的なものとして石川の眼に映った。彼のなかでのデモクラシー概念の受容と同時に、農作業などの手仕事を中心に、コミューンを生きていくことの影響を受けた。それに加えドムでは、カーペンターをなぞるようにして、ルクリュ一家とともに農作業に従事し、自給自足の生活を営むようになっていたし、エリゼ・ルクリュの思想にも刺激された。またモロッコでの風光明媚な自然環境に憧れを見いだしながら、そこで抵抗する労働者の姿と階級概念に依拠しない思いを醸成させていった。その結果として、彼の思想のアルファでありオメガであるともいえる土民生活が編み出されたのだ。最後に、これらの経験がどのように石川の土民生活に収斂していったのかを一瞥してみよう。

一九二〇年十月三十日に石川は日本に帰国した。帰国後間もなく、東京帝国大学の新人会に招かれて講演をおこなった。そのタイトルが「土民生活（デモクラシー）」だった。その後、このときの講演内容がもとになって二一年四月に日本社会主義同盟の機関誌「社会主義」で発表されたと考えられている。(31) それが「土民生活」の初出とされる文章である。ここではこう書いてある。

抑も吾等は地の子である。吾等は地から離れ得ぬものである。地の回転と共に回転し、地の運行と共に太陽の周囲を運行し、又、太陽系其のものの運行と共に運行する。吾等の智慧は此地を耕やして得たるもので無くてはならぬ。吾等の幸福は此地を耕やすにあらねばならぬ。吾等の生活は地より出て、地を耕し、地に還へる、是のみである。之を土民生活と言ふ。真の意味のデモクラシイである。地は吾等自身である。(32)

人間は地球を基盤に、それとともに生きる存在だ。地球は自転・公転し、日光の恩恵を受ける。そこに住まう人間はそこから智慧を得ていく。智慧を探求することが石川にとって幸福なのだ。ひたすら地球とともに生きることが石川にとっての土民生活なのだ。この文言のすぐあとに、「私が仏国ドルドオニ県に土民生活を営んで居た時」とある。彼にとって、ドムでの生活は土民生活だった。この意味で、前述してきたように、ミルソープでのカーペンターの実践が土民生活のモデルになっていることはいうまでもない。しかもこのときに、「デモクラシー」概念のカーペンターによる理解を石川は受容している。「単純生活、労働生活の実行者」と述べていたが、むろん、仕事が「単純」なのでは決してない。そうではなくて、ひたすら地球とともに生きる人間存在のあり方が「単純」なのだ。またこの「地」、あるいは地球という射程は、エリゼ・ルクリュの思想を受容したものでもある。さらには、美しい自然に抱かれて暮らすモロッコの人々が抵抗していくさまもモデルになっている。「吾等は地の子、土民たることを光栄とする。吾等は日本歴史中「土民起こる」の句に屢々遭遇する。又、世人革命を語るに必ず「蓆旗竹鎗」の語を用ゐる。蓆旗竹鎗は即ち土民のシンボルである。其「土民起る」のとき、其蓆旗竹鎗の閃めくとき、社会の改造は即ち地のレボリユシオンと共鳴する」[33]。これに加え、階級ではなく、徹底して石川は土民を用いる。階級であるならば、しばしばサンディカリズムと結び付くようなものだが、農民自治会での講演の際にも、土民を語る[34]。最後に「土民生活」の末尾の文章を引く。

地のロタシヨンは吾等に昼夜を与へ、地のレボリユシヨンは吾等に春夏秋冬を与へる。此昼夜と春夏秋冬に由りて、地は吾等に産業を与へる。地の産業は同時に又地の芸術である。芸術と産業とは地に於ては一である。地の子、土民は、幻影を追ふことを止めて地に着き地の真実に生きんことを希ふ。地の子、土民は、多く善く地を耕して人類の生活を豊かにせんことを希ふ。地の子、土民は、地の芸術に共鳴し共働して穢れざる美的生活を享楽せんことを希ふ。土民生活は真である、善である、美である[35]。

地球に拠って立つことで人間は生きる。それが土民生活だ。土民は地球の恩恵のなかに仕事を見いだす。地球の自然は美しい。それに基づく土民はその生活に芸術を見いだす。地球を離れることなく、そこに這うようにして生きることで人類の生活は豊かになる。地球で生きることこそがすべてなのだ。だから石川の思想では土民生活とは、アルファでありオメガなのだ。

注

(1) 石川三四郎『石川三四郎著作集4 論稿Ⅳ』青土社、一九七八年、三〇六―三〇七ページ
(2) 石川三四郎『石川三四郎著作集8 自叙伝』(青土社、一九七七年) 四二七ページ以下を参照。
(3) 石川三四郎『石川三四郎著作集6 回想』青土社、一九七八年、一六七ページ
(4) 石川三四郎『石川三四郎著作集7 書簡』青土社、一九七九年、六二ページ
(5) 例えば、Edward Carpenter, *Towards Democracy*, George Allen & Unwin, 1905 では冒頭から、自由を手にした喜びが描かれている。
(6) 前掲『石川三四郎著作集6 回想』一七一ページ
(7) 同書一七八ページ
(8) 前掲『石川三四郎著作集8 自叙伝』三二八ページ
(9) 同書二五五ページ
(10) 同書二五五ページ
(11) 同書二五五ページ
(12) 都築忠七『エドワード・カーペンター伝――人類連帯の予言者』(晶文社アルヒーフ)、晶文社、一九八五年、七一ページ
(13) 同書七七ページ
(14) 前掲『石川三四郎著作集8 自叙伝』四二七―四二八ページ
(15) この当時の石川の足取りなどを緻密に追ったものとして、米原謙「第一次世界大戦と石川三四郎――亡命アナキストの思想的軌跡」(大阪大学大学院法学研究科編「阪大法学」第四十六巻第二号、

大阪大学大学院法学研究科、一九九六年)、同「石川三四郎の足跡を訪ねて」(「書斎の窓」第四百五十五号、有斐閣、一九九六年)、同「石川三四郎の亡命を助けたベルギー外交官——ゴベールのこと」上(「書斎の窓」第四百六十二号、有斐閣、一九九七年)、同「石川三四郎の亡命を助けたベルギー外交官——ゴベールのこと」下(「書斎の窓」第四百六十三号、有斐閣、一九九七年)、同「亡命時代の石川三四郎——その周辺」(大阪大学大学院法学研究科編「阪大法学」第四十八巻第三号、大阪大学大学院法学研究科、一九九八年)をそれぞれ参考にした。

(16)前掲『石川三四郎著作集8 自叙伝』二一ページ

(17)同書二一ページ

(18)しひな・そのじ「石川さんを想う」『石川三四郎著作集 月報二』青土社、一九七七年、二ページ

(19)ただし、先に参照した米原謙「第一次世界大戦と石川三四郎」でも指摘しているように、石川の考えは、このフランスにいる間と帰国後に知られている彼の議論とでは隔たりがある。例えば、フランスにいる間は、マルグリットらの影響でフランスのナショナリズムを称揚するような文言も見いだすことができるし、戦争を肯定するような文言も見いだされる。しかし帰国後はアナキストとしてナショナリズムにも与せず、戦争にも反対している。ルクリュと石川との最大の違いは、暴力・非暴力の立場の違いだと考えられる一方で、この当時の石川はルクリュに同調していたようにも思われる。この点については他日を期すが、一つ示唆的な解釈として、鶴見俊輔の文章をここで引いておく。「ただしかし、暴力をとるとらないは方法上のちがいであって、それよりも根本的なものは、圧政に対する反対である。このけじめをたてるかぎり、石川三四郎がつねに、暴力によって圧制を倒そうと努力するものを仲間と考えたことがわかる。同時に、このような暴力観をもつかぎり、テロにうったえようとする仲間からはうとんぜられ、軽蔑され、そののしりを甘受しなくてはな

らなかった」（鶴見俊輔『鶴見俊輔集9 方法としてのアナキズム』筑摩書房、一九九一年、三四ページ）。
(20) 前掲『石川三四郎著作集3 論稿Ⅲ』一一六ページ
(21) 同書一一六ページ
(22) この点については、森元斎「文明の終わりと、始まり――石川三四郎における進歩について」（HAPAX編「HAPAX」第六号、夜光社、二〇一六年）を参照。
(23) この点については、山口晃「モロッコの石川三四郎とその後――地理的環境論への道」（慶應義塾福澤研究センター編「近代日本研究」第十七巻、慶應義塾福澤研究センター、二〇〇一年）を参照されたい。
(24) 石川三四郎『石川三四郎著作集2 論稿Ⅱ』青土社、一九七七年、二二五―二二六ページ
(25) 同書二二七ページ
(26) 同書二二八ページ
(27) 同書二二九ページ
(28) 同書二二九ページ
(29) 同書二三一ページ以下を参照。
(30) 同書二三二ページ
(31) 大原緑峯『石川三四郎――魂の導師』（シリーズ民間日本学者）、リブロポート、一九八七年、一九三ページ
(32) 同書三一三ページ
(33) 同書三一七―三一八ページ

（34）前掲『石川三四郎著作集2 論稿Ⅱ』の「解題」（五四五ページ）によれば、「農民自治の理論と実際」と題されたものだが、無署名で表題もついていないものが残っている。これは一九二七年の一月四日に長野県北佐久郡北御牧村で開催された、農民自治会北信連合主催の冬期農村問題講習会の講演だと考えられている。

（35）同書三一八ページ

21 ダンスができない革命なんていらない
――ルクリュからグレーバーまで

はじめに

革命には夢がある。夢だけでなく、私たちの世界を作るという現実がある。革命は夢と現実が混ざるものだ。革命を、突然やってくるものとして捉えることもできれば、長い時間を醸成して出来するものとして捉えることもできる。あるいは抽象的な理念を先導していくことで革命をリアリズムとして実現させていく者どももいれば、具体的な世界をリアリティーとして実現させていく者もいる。とりわけ前者はボリシェヴィキであり、後者はアナキストとして位置づけることができるかもしれない。とりわけロシア革命は、これらがない交ぜになったからこそ生じたことであるにもかかわらず、純化してしまったことによって新たな専制体制に至った。ここではロシア革命の前後のアナキストの思想を取り上げ、そこからボリシェヴィキに批判的な見立てを述べた見解を析出し、現代の私たちにも通じる官僚制への批判的見解の道筋を明らかにしてみる。

まず「革命以前――エリゼ・ルクリュ」では、ロシア革命以前のアナキスト、エリゼ・ルクリュの視点から革命への思考を析出し、アナキズムにおける革命の視野の枠組みをみる。次いで、「革命のさなか――エマ・ゴールドマン」（ともにいたアレクサンダー・バークマン）によるロシア革命への期待と失望をみることで、革命のさなかの変節を検討する。「革命以降――バートランド・ラッセル」では、ゴールドマンらと同じ時期にロシアに赴き、鋭敏な感性をもちながらも論理的に革命以降のボリシェヴィキのあり方を批判的に検討したバートランド・ラッセルの言説から、官僚制の問題点を浮き彫りにする。最後に「官僚制――クロポトキン、グレーバー」では、ここまでみてきた言説から官僚制の弊害を訴えるデヴィッド・グレーバーの議論をみていくことで、現在の私たちにも通じる問題点の根の深さを明らかにしてみよう。

革命以前――エリゼ・ルクリュ

世界初の社会主義の革命政権を樹立したパリ・コミューンに参加したアナキスト、エリゼ・ルクリュは、革命についてこう述べている。

> 来るべき進化と革命は、理念の後にやってくる現実であり、ある現象と同じ現象とを混ぜ合わせるものだ。健全な有機体における生を機能させ、人類と世界の生を機能させることなのだ。(1)

革命は夢である。と同時に現実である。理念と現実が一つになるところに革命がある。そのとき私たちは私たちの生が十全に機能するような世界が実現すること、そこに革命の夢と現実があるとルクリュは述べている。

この言葉は、パリ・コミューンに参加したことからの反省も含まれている。むろん、ルクリュとてパリ・コミューンに夢を見て参加した。しかしながら、パリ・コミューンの中央集権的なあり方は私たちの生を必ずしも十全に機能させることはなかった。ルクリュは従軍していくなかで、突然天下り的に見回りを命じられる。ベルサイユ軍がやってくるのは薄々みんな気づいているが、その戦略会議に参加できるわけもなく、ただ行ってこいと言われ、現状分析が不足したまま見張りに向かった。いつになれば敵が来るのか。次第にルクリュの仲間たちは飲み屋へと去っていった。次第に仲間が少なくなってきたところで、ベルサイユ軍の襲撃が始まり、ルクリュは捕らえられ、その後国外追放になり、スイスへ亡命した。生が十全に機能する状態など何一つない、中央集権的なあり方に不満を唱え、来るべき革命をルクリュなりにその後も模索しつづけた結果、先のような文言を書き記すことになるのだ。またスイスのジュラ連合に出入りするようになってから、次のような言葉も記している。

あらゆる近代国家は、中央集権化しようとする。何らかの中心からあらゆるものを統率しようとするこの考えは、刑務所のモデルと比較できる。

［その一方で］あらゆるものを国家に包摂されることに反対して、社会の生き生きとした力が形作られていくようなこの自由な集団を、私たちは率先してやっていかなければならない。(2)

中央集権国家は刑務所だ。国家という機構は、専制体制であれ社会主義体制であれ、常に私たちの自由を奪う。そうではなく、自由に基づいた生と社会が十全な機能を果たすことが可能なあり方こそ、アナキストが、さらに述べるならば私たち人間が生きる世界なのだ。

こうした思考をもつルクリュは一九一七年の十月まで生きることはなかった。しかしながらルクリュは、〇五年のロシア第一革命の際に病床で「革命だ！」と決して大きな声ではなかったが叫び、その報に喜んでいたように思われる。その後のロシアのあり方に対して、ルクリュはどのような態度をとりえただろうか。ここではこのルクリュの思考から、その後の革命のあり方をみてみることにしよう。

革命のさなか――エマ・ゴールドマン

ロシア第一革命そのものにアナキストが数多く参加していたというわけではなかったが、この出来事からアナキストが数多く現れたのも事実だ。当初はクロポトキンも述べるように、この革命は社会民主党や社会革命党、いわんやアナキストが指導している運動なのではなく、まさに労働者が率先しておこなっているものだったようだ[3]。しかしながら革命が失敗に終わるやいなや、社会民主党が実権を取ろうとする強権的態度に参加者が辟易し、アナキストたちがおこなっていたゼネストの主張が際立ち始め、都市部だけでなく、多くの農村地域でもアナキズムと結託して運動が盛り上がるようになっていた。まさにこのときの状況に衝撃を受けたのが、ウクライナのグリャイ・ポーレという農村にいたネストル・マフノだったし、事実彼はこのときからマフノ軍を指揮するようになり、ソヴィエトに参加するようになった。そう、ヴォーリンらが発案していったとされるソヴィエトが各地に広まり、アナキストたちの拠点になっていったのがこの一九〇五年以降のことなのだ。ここから二一年にかけてアナキスト・サイドからも運動が大変盛り上がる（マフノの運動のほかに有名なものとして、二一年のクロンシュタットの反乱など）。これはヨーロッパだけのことではない。アメリカにいたゴールドマンらの軌跡についてこう述べてある。

たくさんの支援金がアメリカからロシアの友人たちに送られた。（略）ユダヤ系の多くの仲間たちはロシアへ帰還していき、ロシアのツァーリ国家に対して言葉だけでなく実際の行動においても抗っていこうとしたのだ。(4)

そう、アメリカにも飛び火し、アメリカ大陸や、ともすればアジアからも様々な動きが出てくる。(5)こうした流れのなかで、一九二〇年以降になると、ゴールドマンとバークマンも実際にロシアに向かい、哲学者のラッセルもロシアに赴く。

当初、ゴールドマンは革命政権が樹立したロシアに大変な希望を見いだして、こう述べている。

ソヴィエト・ロシア！　聖なる地、魔法の民！　あなたは人類の希望を象徴するためにやってきた、あなただけが人間を解放するよう運命づけられている。私はあなたに仕えにやってきた。

愛する「母なる大地（matushka）」。私を胸に抱き、あなたのなかに流し込み、私の血をあなたの血と混ぜ合わせ、あなたの英雄的闘争の中に私の場所を見つけてください。極限まであなたの要求に身を捧げるつもりです。[6]

ゴールドマンが大変な期待に身を寄せているのは間違いない。しかしロシアに滞在するなかで、この期待は次第に裏切られていくことになる。当初の違和感は大したものではなかった。そのつど歩哨から通行証を求められ、若干のむかつきを感じながらも、政治的信念をソヴィエト・ロシアと共有しているのだという態度表明のためだと考えていた。しかし現地のアナキストたちと交流をもつと、その考えは一変してくる。モスクワのように首都機能を持ち合わせ、ロシアの外からも人がやってくる地域では外見上、自由が認められていた。とりわけモスクワのアナキストたちは出版を自由におこない、アナキズム文献を数多く書店で売って生活の糧にしていた。集会も頻繁に開かれ、そこにゴールドマンが出入りするようになっていた、しかしながらモスクワではなく、ほかの地域、例えばペトログラードのアナキスト・グループには自由の痕跡さえ認められず、ほかの地域では、「明白な理由もなく獄中に」[7]いた。食料も実のところ行き渡らず、住居もそうだった。次第に、「革命ロシアの隠された悲哀は長く無視できないものだった」[8]と述べるようになる。

その役割は公然と宣言されていたものとはかなり異なっていた。それは銃による強制収税であり、村や町を荒廃させていたし、あえて自らの考えを述べようとする人々の責任ある地位からの排除を招き、知的で誠実で、しかも勇気ある、もっとも戦闘的分子の精神的な死をもたらし、現実的にボリシェヴィキの権力の獲得を可能にさせた。アナキストと左翼社会革命党は十月革命の日々においてレーニンによって先兵として利用されてきていたし、今や彼の綱領と政策によって絶滅の運命にさらされていた。それは政治収容所を必要とする体制であり、年老いた親たちや年端もいかない子どもたちさえも除外されていなかった。非常委員会による夜間の「街路と家の手入れ」は住民の眠りを脅かし彼らのわずかな所持品は乱暴に捜査され、秘密書類の疑いで裂き開かれ、兵士たちの捜査網は、包囲した家から疑わしくもない来訪者たちの一群を引っ張っていった。取るに足らない容疑での刑罰はしばしば長い監獄送り、国の見捨てられた地への流刑となり、そして死刑さえもあった。（略）ボリシェヴィキはその仮面を剝がれ、私の眼の前にむき出しの本質をさらけ出していた。[9]

こうした状況にあって、一部のアナキストでさえ、この「革命的」状況の陰惨さを黙認していた。様々な犯罪に手を染めてもなおボリシェヴィキが革命的である点で、仕方がないという様子だったようだ。しかし、である。ベターではなくベストを尽くすのがアナキストである。ゴールドマンと、彼女とともにいたバークマンは完全にロシアの革命に失望する。[10]

革命以降——バートランド・ラッセル

ちょうどレーニンが『左翼小児病』を書き上げたころ、バークマンとゴールドマン、そしてラッセルがロシアで邂逅していた。イギリスの使節団のなかにラッセルがいて、彼らと行動をともにしていた時期がある。その使節団に対して、レーニンはこの文章の翻訳を願い出ていたともいわれている。レーニンからすれば、「左派エス・エルとアナキストは、くだらない革命家の典型の十分明瞭な例証である[11]」とまで語られ、アナキスト・サイドに対して大弾圧がおこなわれていた。そうしたなか、ラッセルはアナキストではない立場でありながらも、ロシアの革命の過程を見届けながら、ボリシェヴィキに疑いの目を向けていた。ラッセルなりにロシアを見つめ、そこで権力のまやかしを暴いた。ロシアからすぐさまイギリスに帰ると、怒濤の勢いでラッセルは本を著す。それが『ロシア共産主義』だ。そこで彼は「今日のロシアの光景を見て私はボリシェヴィキの方法を全く信じなくなった[12]」と述べている。ラッセルもまた、「資本主義の本質的な悪弊(essential evils of capitalism)」を直す方法としてのロシア革命に当初は期待を寄せていた。だが、実際にロシアに向かい、情報を集めるなかで、彼のなかで期待が失望に大きく変わった。そこでラッセルは興味深い論点を提出している。

ボリシェヴィキ理論は一つの悪、つまり富の不平等がほかのあらゆる悪の根底にあると考え、それに注意を集中している点で誤っていると、私は思う。私は、どれか一つの悪をこのように一つだけ切り離すことはできないと思うが、しかし政治的諸悪のなかで最悪のものを一つ選ばねばならないとすれば、むしろ権力の不平等のほうを選ぶにちがいない。そして、この悪は階級闘争と共産党の独裁によっては治癒できないと主張するだろう。平和と長期にわたる段階的

な向上だけが、それをもたらすことができるのである。(13)

ラッセルからすれば革命が起ころうと起きまいと、長期的な観点でもってゆっくりとではあるが権力の不平等という悪を正すことが重要である。むろん、階級闘争は重要だし、アナキズムの理論からすれば首肯しかねるところもあるが、やはりルクリュの文言を想起するならば、中央集権的な状態によって私たちの生や政治、そして世界のあり方が歪められてしまうことについてはラッセルも共通した認識をもつ。

そう「かつての皇帝の政府に痛ましいまでによく似た体制(14)」がロシア革命の帰結となったのだ。その際に「中央主権的な官僚制、秘密警察、政府が纏っている神秘性と恐怖政治に対する従順な服従という雰囲気(15)」が現れる。ゴールドマンの節でも述べたように、私たちに（当初は）夢を見させるような神秘性、常に通行証を提示させ、ときにアナキストたちを弾圧するような警察権力の恐怖政治の具合という見立てはみな共通している。それもこれも、ルクリュが述べるように中央集権性という刑務所的機構が出来していることに起因する。ラッセルが指摘しているとおりなのだ。ただ、この文言のなかにあることで一つ触れてきていない術語がある。官僚制だ。最後に、クロポトキンとグレーバーの議論から官僚制のあり方を浮き彫りにし、現在の私たちの光景を眺めてみることにしよう。

官僚制──クロポトキン、グレーバー

ゴールドマンはこのロシア滞在の間にクロポトキンに会いにいっていた。クロポトキンはロシア革命の報を聞きつけるやいなや、それに喜びを見いだし、亡命先のイギリスから帰国した。ボリシェヴィキからも歓迎されたその帰国は、すぐさま彼にとっても失望に変わった。アナキストたちが弾圧されていくなかで、老齢のクロポトキンはなすすべがない。レーニンに直談判するも、むろん、意見は聞かれても実行などに移されたためしはない。クロポトキンは政府からの配給を拒否していたがゆえに、いまにも餓死するようなありさまだった（とはいえ、家族はクロポトキンの病を理由に、彼には内緒で若干の配給を受け取っていたにもかかわらず）。ウクライナのマフノたちからの食料の供給や、クロポトキンの家族で耕している畑と飼っている牛で、なんとか暮らしているありさまだった。この状況の少し前に、クロポトキンはボリシェヴィキの強権的な状況をヨーロッパ西部の人間に向けて報告している。一九一九年の「ロシア革命とソヴィエト政府──西ヨーロッパの労働者たちへの手紙」だ。この文章でクロポトキンはこう述べている。

国道に嵐で倒された一本の木を売却するために、四十人もの役人の助けが必要で、まるでフランスの官僚制さながらのバカバカしいほどの官僚制が展開されているのだ。[16]

クロポトキンにとって、民衆によって現実を見ながら革命を実現させるのではなく、肥大化した

官僚機構によって、民衆の幸福よりも国家の中央集権化にだけ専心するのがロシア革命とその帰結だった。当初は祖国の革命に乗じて凱旋帰国をしたが、やはり彼も失望の念を隠せなかった。

一方で、この強靭な官僚制を作り上げることで、ソヴィエト主導の国家を強靭にしていったのがレーニンだった。ゴールドマンとクロポトキンも、ともすればマフノとも直接会って話し合いの機会を設け、彼女らの意見に理解を示しているかのような態度をとったレーニンである。彼はいたって冷徹だった。レーニンはこの官僚制の仕組みを練り上げていく際に、モデルとして、ドイツで発展した郵便組織を取り上げている。

前世紀七〇年代のドイツのある機知に富んだ社会民主主義者は、郵便事業を社会主義経営の見本とよんだ。まことにそのとおりである。今日の郵便事業は、国家資本主義的独占の型にしたがって組織された経営である。帝国主義は、すべてのトラストをしだいにこのような型の組織に転化させている。（略）

国民経済全体を郵便事業のように組織し、技術者、監督、簿記係が、武装したプロレタリアートの統制と指導のもとで、すべての公務員と同様に、「労働者並みの賃金」をこえた俸給をもらわないようにすること――まさにこれが、われわれの当面の目標である。[17]

レーニンがここでも述べているように、ソヴィエトの官僚機構のモデルは実は郵便事業だった。グレーバーが分析するように、ドイツで「行政機構にとっての真のモデルは、奇妙にも、郵便局であった」。グレーバーはこう続ける。

郵便局は、本質的には、トップダウンの軍事的な組織形態を公共財に応用する最初の試みのひとつであった。歴史的にみて、郵便業務はまずもって軍隊と帝国の組織からあらわれたのである。それはもともと、戦場報告や命令を長距離間でやりとりする方法であった。のちには、戦争のもたらした諸国の統一を維持するための主要な手段となる。[18]

それまでトップダウン式の組織は軍隊しかなかった。とりわけ近代ではナポレオンが組織化をおこなった、その強力な軍事組織は有名だ。こうしたあり方が軍隊以外に適用されたのがドイツの郵便事業でのことだった。プロイセンなどの数々の領邦を一つにまとめあげたうえで、それらの間の通信手段の統一化が図られた際にトップダウンの命令系統が採用された。むろん、これはグレーバーも述べているように、「戦場報告や命令を長距離でやりとりする方法」としてもたらされたのであり、まさにこの軍事的組織の拡張化が官僚制を出来させていったのである。そして先にも述べたように、この制度がモデルになり、ボリシェヴィキが率いるソヴィエト・ロシアの機構が練り上げられていくのだ。

先に引用したグレーバーの文言を読み続けていくと、実のところ、クロポトキンでさえ、一九〇五年の時点では、この郵便事業とそれに伴う組合を寿ぎ、その組織のあり方から国家とは異なるような伝達系統をアナキズムの連合組織として機能させていくことを模索していた。しかしながら、ここまで確認してきたように、一九年のロシアへの帰国以降は、ボリシェヴィキの官僚制の悪しきさまをまざまざと見せつけられたことで、クロポトキンは郵便事業をモデルにした組合の連合組織のあり方を希求しなくなったと見て取るのが妥当だろう。いずれにせよ、アナキズムの観点から一貫していえることは、中央集権的な国家機構や官僚機構、そして自由を脅かす弾圧に対して断固として抗い、革命を生じさせ、「人類と世界の生を機能させる」ことを思考し、身体を解放していくことが第一哲学だということである。

おわりに

グレーバーはこの官僚制の問題をあぶり出していくことで、私たちの自由にまつわる問題を、学校制度だったり、それこそ先に論じた郵便事業だったり、あるいは哲学史上の問題だったりと縦横に語っていく。郵便の制度で切手を貼り、公共料金の支払いのたびに住所と名前を書き、そのつど書類が肥大化していく。学校機構でも、例えば大学では書類に次ぐ書類、会社であれば報告書に次ぐ報告書、それぞれの持ち場でそれぞれの労働が増えていく。書類のための書類や、会議のための会議が上乗せされていく。これはグレーバーが述べるとおり、官僚制そのものだ。[19] そしてこの官僚制が私たちを取り巻く経済・経営体制と結び付くことで、つまり資本主義のゲームと結び付くことで、それらが相互に補完しあいながら、私たちを生の現実や革命の理想と現実から引き剝がしていく。グレーバーはこう述べている。

こうした官僚制化した自由の観念の結末は、あらゆる生活の要素が、ルールに拘束された精密なゲームへと還元されつつ、プレイが完全に制限されてしまった――あるいはよくてもいかなる真剣かつ重大な人間の努力からも遠く離れた場所に封印されてしまった――世界という夢想の実現である。そうしたヴィジョンにいっさい魅力がないというわけではない。万人が規則を知り、万人が規則に従ってプレイし、そして――さらには――規則に従ってプレイする人間がそれでも勝利できるという世界を夢想しない者がいるだろうか？　問題なのは、これが、絶対的な自由なプレイの世界がそうであるのと等しくユートピア的空想であるということである。それは、つねに、わたしたちがふれるやいなや霧散してしまう、はかない幻想(イリュージョン)にとどまっているのだ。[20]

生や革命が矮小化され、中央集権的な官僚制とネオリベラリズムというゲームの名の下に、ある種のユートピア的空想が私たちを覆う。そのときのユートピア的空想とは、私たちの生や革命とはほど遠い存在であり、私たちの具体的な身体感覚とは全くかけ離れたような抽象的な幻想だ。私たちは書類ではない。会議ではない。イズムではない。リアリズムを生きているのではない。そうではなくリアリティーを生きている。具体性を生きている。黙れと言われても、黙れない、黙らない。奨学金を返せと言われても、返せない、返さない。歌いもすれば、踊りもする存在だ。革命とは生き方そのものではない。革命とは生そのものなのだ。リアリズムではなくてリアリティーなのだ。革命とは生ここに自由がある。だから私たちの身体を拘束し、思考を束縛するような革命などいらない。ダンスができない革命なんていらないのだ。

注

（1）Jean-Jacques Elisee Reclus, *Ecrit sociaux*, Editions Heros-Limite, 2012, p. 145.

（2）Jean-Jacques Elisee Reclus, "St-Imier," *Bulletin de la Federation jurassienne de l'Association international des travailleurs*, 4e annee, no. 9, 11 mars 1877, p. 4.

（3）ジョージ・ウドコック『アナキズムII 運動篇』白井厚訳、紀伊國屋書店、一九六八年、二三五ページ

（4）Paul Avrich and Karen Avrich, *Sasha and Emma: The Anarchist Odyssey of Alexander Berkman and Emma Goldman*, Belknap Press, 2012, p. 175.

（5）さしあたりアナキズム・サイドからは次の本を推挙しておく。Constance Bantman and Bert Altene, *Reassessing The Transnational Turn: Scale of Analysis in Anarchist and Syndicalist Studies*, PM Press, 2017. また、革命の際に、都市部での受け入れられ方と農村部でのそれは大きく異なるように思われる。例えばウクライナの農村部でソヴィエトに参加していたマフノらと、モスクワやサンクトペテルブルクなどの都市部に拠点を作っていたレーニンらのボリシェヴィキとでは、その祝祭性も含めて異なるだろう。マフノたちはあくまで生のリアリティーを追求した結果だっただろうし、レーニンらは国家運営のリアリズムを追求した結果だっただろう。郊外や地方の絶望からこそアナキズムが生まれるのではないだろうか。この点については他日を期す。

(6) Emma Goldman, *Living My Life*, volume 2, Pluto Press, 1988, p. 726. 邦訳は、エマ・ゴールドマン『エマ・ゴールドマン自伝』下（小田光雄／小田透訳、ぱる出版、二〇〇五年）、三一四ページ

(7) *Ibid*, p. 751. 同書三五一ページ

(8) *Ibid*, p. 754. 同書三五六ページ

(9) *Ibid*, pp. 754-755. 同書三五六―三五七ページ

(10) バークマンは一九二五年に刊行された『ボリシェヴィキの神話』のなかで、こう結んでいる。「ボリシェヴィキについての真実を語るには、絶好の時機かもしれない。偽善をはぎとり、国際プロレタリアートをおそるべき迷路に誘いこむ迷信の粘土の足を暴露しなければならない」（A・ベルクマン『ボリシェヴィキの神話』岡田丈夫訳、太平出版社、一九七二年、三六三―三六四ページ）

(11) レーニン「「左翼的」幼稚さと小ブルジョア性について」、日本共産党中央委員会レーニン選集編集委員会編『レーニン10巻選集』第八巻、大月書店、一九七〇年、三〇二ページ

(12) Bertrand Russell, *The Practice and Theory of Bolshevism*, Forgotten Books, 2012, p. 161.

(13) *Ibid*, p. 167.

(14) *Ibid*, p. 174.

(15) *Ibid*, p. 174.

(16) Petr Kropotkin, "The Russian Revolution and the Soviet Government: Letter to the Workers of Western Europe," *Labour Leader of July 22*, 1920.

(17) レーニン「国家と革命」、前掲『レーニン10巻選集』第八巻、四七―四八ページ

(18) David Graeber, *The Utopia of Rules: On Technology, Stupidity, and the Secret Joys of Bureaucracy*, Melville House, 2015, p. 90. 邦訳は、デヴィッド・グレーバー『官僚制のユートピア――テクノロ

ジー、構造的愚かさ、リベラリズムの鉄則』（酒井隆史訳、以文社、二〇一七年）二一九―二二〇ページ。なお、グレーバーの官僚制については酒井隆史との議論に刺激を受けた。

（19）この間、大学を取り巻く問題として、強権的な中央集権性と官僚性の結託がすさまじい。ここでは、一つだけ、直接聞いたことがある話を書こう。福岡教育大学では、二〇一〇年に就任した寺尾愼一学長体制が発足してから、「国立」大学といえないような事態が生じている。研究教育評議会（ソヴィエト！）の委員の人数が変更され、それまで理事・副学長三人、副理事四人、各講座の教員代表十六人の計二十三人によって運営されていたのに対し、この体制発足後、順次、副学長が七人、副理事が八人に増員された。結果、学長がこの評議会を牛耳り、強行決定が頻発するようになった。これはただの序章にすぎず、あまたの大学の自治をめぐる、あるいはそれを超える問題が頻発している。この問題については以下を参照されたい。「福岡教育大学の学長選を考える会」（https://www.facebook.com/gakuchousen/）［二〇二三年九月一日アクセス］。またこうした議論については、のちにグレーバーが『ブルシット・ジョブ――クソどうでもいい仕事の理論』（酒井隆史／芳賀達彦／森田和樹訳、岩波書店、二〇二〇年）で展開している。

（20）David Graeber, *op. cit.*, p. 117. 邦訳は、前掲『官僚制のユートピア』二九二ページ

22 アナキズムの自然と自由――ブクチンとホワイトヘッド

はじめに

　自然、あるいはエコロジーを鏡として捉えると、かたや生命中心主義、かたや人間中心主義に陥る。生命中心主義（biocentrism）とは、ディープエコロジーにみられるように、宇宙論やともすればスピリチュアルな宇宙の一体性を述べたてる傾向にあり、人間を多くの生物種のなかの一つとして語ろうとする議論だ。この議論では、例えば人間の貧困問題や政治的な問題などは直ちに語られなくなり、偽善的な抑圧を生み出す。一方で人間中心主義は、人間の生存のために自然環境を保全しようという語りになる。よく巷で聞く、持続可能ななんちゃらである。これは人間の現状を保持するために、経済的前提は問われなくなる。持続可能であるかぎりで、現状維持なのだ。あるいは、人間と自然なる区分をおこなうやいなや、自然が人間を支配すること、あるいは人間が自然を支配すること、といった問題系にしばしば収斂されてしまう。自然が人間を支配するのは当然である一方で、人間は必ずしも自然に従属した存在ではないことは想起されるだろう。科学技術の発展を取り上げるまでもなく、人間が自然にはたらきかけることで人間は生きてきた。マルクスであれば、自然存在（Naturewesen）としての人間、あるいは人間的な自然存在（menschiches Naturewesen）とでも捉える視点だろう。そこに加えて社会的存在（Soziale Existenz）として人間がほかの自然物やほかの人間とともに生産や創作をおこなうという視点がある。こうした観点は認識論的に自然と人間を捉えるのではなく、存在論的に捉えていくこと、つまり自然であれ人間であれ、それらはそれぞれ別個の存在だという枠組みで捉えていくことで、自然が理解されていくことになるのではないか。この観点を徹底させていった者がいる。しかしそれはマルクス（主義者）たちではなく、アナキストたちだった。

アナキストであるマレイ・ブクチンは、自然やエコロジーを徹底して考えた思想家だ。それも、人間、社会、自然という枠組みを考慮に入れて考察を与えた。ときに激しくテクノクラートを批判し、ときに激しくディープエコロジストを批判する。[1] 人間が自然を支配する科学は、当然のように私たちの環境を脅かすという帰結をもたらす。自然が人間を支配するディープエコロジストは、平然と人間をこの世界の病巣だとする。いずれにも共通しているのは、人間と自然との間にヒエラルキーが存在しているということだ。アナキズムはあらゆるヒエラルキーを拒絶する。ここにアナキストの見立てが生きる。ブクチンはここに社会という項目を加え、人間と自然とのヒエラルキーだけではなく、人間同士のヒエラルキーの根絶を訴えることで、人間と自然の媒介となる資本主義（企業）を敵と見なし、人間と自然との存在論的な差異と自由を見いだす。

またブクチンは自然を語る際に、人間・社会・自然のそれぞれの自由を認めていく。その自然が自由であるということは、自然そのものが自ら進化し、社会も人間も自ら進化していくことにほかならない。それぞれがそれぞれの単位を保ちながら適応していくことが、まさに自然なのだ。こうした自然を語る際に、過程の哲学を参照する。ここでは、過程の哲学、とりわけホワイトヘッドの自然と自由に関する議論を導きの糸としながら、ブクチンの社会とエコロジーの議論を補強していこう。

自然

ブクチンは、自然についてこう述べている。

……自然とは、私たちが見晴らし窓を通して驚嘆する素晴らしい景色——風景あるいは静的なパノラマのなかに凍結されている景観——などではない。自然についての「風景」としてのイメージは、精神的には気分を高揚させるものであるかもしれないが、エコロジー的には欺瞞的なものである。時間と場所を固定されているので、この種のイメージは、自然は自然世界の静的なビジョンではなくて、自然の発展の長い、実際に累積的な歴史であるということをたやすく忘れるように仕向けるものだ。この歴史は、現象の有機的な領域だけでなく無機的な領域の進化にもかかわるものである。私たちが、開けた平原、森林、あるいは山頂に立つ時にはいつでも、私たちの足の下には、地層であれ、ずっと昔に絶滅した生物の化石であれ、死んだばかりの生物の朽ちつつある遺骸や、新しく生まれ出ようとする生命の静かな身動きであれ、長い時間にわたる発展の産物があるのである。自然は「人格」でも「世話をする母親」でも、あるいは前世紀の粗野な唯物論者の言葉で言うと「物質と運動」でもない。またそれは、季節変化のような繰り返しのサイクルや、代謝活動の構築と分解のたんなる「プロセス」――何人かの「過程の哲学者」は反対のことを言っているのにもかかわらず――でもない。むしろ自然の歴史は、より多様で、分化した、複雑な諸形態と諸関係に向かっての累積的な進化なのである。(2)

ブクチンによれば、自然とは静的なものではない。動的なものだ。エコロジーとは無機的な存在だけでなく、有機的な存在もいて、それらが自然を成り立たしめている。土はカリウムを摂取し、微生物が土壌を分解して、畑を豊かにして農作物の実りをもたらす。時間的にミクロな視点だけではない。マクロにみてもそうだ。生物が化石になり、それが自然資源として石油になる場合もある。何万年もかかる。自然そのものは人間のような人格を有するのでもなければ、母なる大地でもない。マクロにもミクロにもひたすら進化するものだ。だから、単純な循環サイクルにのっとったシステムでもない。多岐にわたり複雑で動的な存在、それが自然なのだ。そしてこうした点についてまさに過程の哲学者であるホワイトヘッドが議論を余りあるほど展開している。

ホワイトヘッドの哲学を検討する前に、ホワイトヘッドをめぐる同時代の自然哲学に関する言説をみてみよう。ときにホワイトヘッドが論じられてしまいかねない語りについてだ。

ベルトラン・サン＝セルナンは「いま、自然哲学に地位はあるか」(3)と題した論文で、自然哲学の歴史をひもときながら、ホワイトヘッドとアントワーヌ＝オーギュスタン・クールノーを現在において語るべき思想家だと論を展開している。サン＝セルナンによれば、ホワイトヘッドとクールノーこそ「生成 devenir」を宇宙や自然の鍵概念として取り上げていて、そして彼らこそ物理―化学の次元であれ、生物の次元であれ、それらに共通する土台を思考している、というのだ。こうしたなかで、彼らはいずれも潜在的なものから現実的なものへの生成を思考していて、むろん自然を作り出す技術の領域にも目配せして思考しているのだとサン＝セルナンは述べている。自然を動的な存在として語るために、現代的な科学技術をも射程に含めなければならない現代で、サン＝セルナンが注目するのがホワイトヘッドとクールノーなのだ。

そしてサン＝セルナンは自然での生命の領域を「生命圏 biosphère」、自然での科学技術の領域を「技術圏 technosphère」と名づけ、現代ではこれらが分離してしまっていることに警鐘を鳴らす。こうした見立てをもったうえで、のちにサン＝セルナンはホワイトヘッドのモノグラフを公刊する。そのなかで彼はこう述べている。

このようにして、人間は（私たちが今日「生命圏」と呼ぶであろう）生物的秩序のなかで、（今日「技術圏」と呼ぶ）存在と対象との下部に秩序付けられ、構造化された社会のネットワークの総体を構成している。宇宙のなかでいかに個体化が生じ、そしていかに創発的性質が現れるのかという仕掛けについて、技術的対象の世界――厳密には技術圏――は適切な事例を与えてくれる。ホワイトヘッドの有機体の哲学はこの点で導きの糸となる。なぜなら、彼の哲学は統一的な総合の過程を主に扱っているからだ。その過程は、無意識的でもあるし、意識的で意図的でもあり、その意識や意図は個体やその群れがある目的に到達しようとする場合においてはたらくのである。[4]

サン＝セルナンにとって私たち人間が住まう生命圏が基盤にあり、そのなかに技術圏が存在する。現代ではこれらは別々の領域として扱われ、それぞれが高度な専門によって分離されているが、ホワイトヘッドの哲学はこれら双方ともに扱えるものだという。というのも、ホワイトヘッドはそれらを含んだ宇宙を過程として捉えているからだ。この過程ではむろん人間の意識など度外視される。しかし一方で、あたかも人間の意識のように目的をもつものでもある。生命中心主義のように見えながら、脱人間中心主義のように思われる。ブクチンの意図に反しているのではないか。ブクチンいわく「何人かの「過程の哲学者」は反対のことを言っている」はずなのだが、サン＝セルナンはホワイトヘッドのつまらない議論の方向性を示してしまっているように思われる。しかし、生命圏と技術圏、そしてそれらの境界領域をも包括的に扱える議論という点で、ホワイトヘッドの過程の哲学を捉えるならば、必ずしもブクチンが意図したものとは矛盾はしないのではないか。生命圏ではなるほど人間の意識を超えた生態が広がり、技術圏はむろん人間の意識の所産だが、それらの間には何が存在するだろうか。ブクチンとホワイトヘッドにのっとるならば、そこに社会がある。

社会

ブクチンからすれば、社会とは「第二の自然[5]」である。人間は自然を基盤にしている一方で、人間社会が自然とはいかに異なるかをみなければならないだろう。「家族による年少者の日常的な社会化が生物学的な基盤をもっているのは、医療施設による高齢者の日常的なケアが社会という具体的な事実に根ざしているのと同様である[6]」。子どもの養育には生物的な本能の側面がある一方で、老人の面倒をみるのは私たちが人間であり社会を有しているからである。また人間は確かに圧倒的に自然とは非対称な存在でありながらも、そのなかに対称性をもって接していく。「人類がたんに自然に適応するのではなく、自然世界における自らの地位を作り出すために組織されている生物種として進化してきたということを、暗黙のうちに認めることであるかもしれない[7]」。人間は環境に殺されもしてきたが、環境を殺しもしてきた。そしてそのあわいがある。それが適応してきた、ということであり、それによって自らを作り出してきた、ということでもある。圧倒的な環境因だけで人間が生かされてきたわけではない。人間は自ら省察を加え、住まう場所を決めてきたし、環境にはたらきかけてもきた。それによって生存競争を生き抜いてきた。いうまでもなく、相互扶助を基盤として生きてきた。そこに社会がある。しかしその社会はときに暴走する。ヒエラルキーが打ち立てられるやいなや、社会そのものを破壊し、自然を破壊していくことになる。

ヒエラルキーは、男性による女性の支配、家父長制の成立に起源を有するとブクチンは分析する[8]。この点は、ジャネット・ビールが述べるようにとりわけ、男性が自分たちの間でヒエラルキーを形成するなかで、女性の地位を貶めていくのだ[9]。この観点が拡張され、国家へと引き伸ばされていくようになり、資本主義へと引き伸ばされていく。国家に至っては王権が、資本主義に至っては資本家が、ヒエラルキーを形成していくことになる。しかしながら、人間は常にこうしたヒエラルキーを払いのけながら生きてきた。相互扶助を基盤にし、自らの地位を作り出してきた。そこに自由があるのだ。払いのける際にはなんらかの社会や自然の与件は前提としてはあるが、しかし人間は、先の意味で適応する。つまり、払いのけるべきを払いのけてこそ、生きていける。ここでホワイトヘッドの自由を引いてみる。

その結果自由とは強制を社会的に混ぜ合わせることに関する一つの説が必要となる。自由をたんに無条件に要求することは、標準的なパターンに単に順応すべしというそれと正反対の叫びと同じくらい有害で、皮相な哲学の結論である[10]。

自由が効果的な場面というものが必ずある。自由を私たちは原理原則として持ち合わせていなければならないのは当然のことではあるが、その自由が行使される瞬間があるのもまた当然のことである。それはつまり、障壁を破壊する際に、自由を行使する。払いのけるべきを払いのけてこその自由なのだ。ホワイトヘッドはこうも述べている。

……霊長類社会も動物も地球の生命などの社会も、移ろい行く細部に過ぎない。自由は状況を超え出るところにある。[11]

環境破壊によって私たちの生が押しつぶされるとき、資本主義によって私たちの生が破滅に導かれるとき、ヒエラルキーによって私たちの自由が葬り去られそうなとき、私たちは自由を行使する。相互扶助は私たちが生み出した知恵だが、それは私たちの自由が基盤にあるからこその社会的なあり方だ。

来るべき人間、社会、自然

ブクチンはこう述べている。

全面的に非合理で、浪費的で、巨大産業と大都市ベルト地帯、高度に化学化されたアグリビジネス、中央集権的で、官僚的な権力、私たちを茫然とさせるような軍需経済、大規模な汚染といったものに基礎を置く「現代社会」と、私たちが描写してきたようなエコロジー的な社会のあいだには、きわめて複雑な移行期としての定義困難な領域が存在する。この移行領域では、新しい政治が発展するとともに、新しい感受性が生まれる。この移行を媒介するうえで、意識の役割と歴史からの鼓舞に代わりうるものはない。「現代社会から来るべき社会へ」の跳躍をもたらしうるような「機械仕掛けの神」は存在しないし、また、そうしたものを期待すべきでもない。民衆は自ら形作ることのできないものをコントロールすることは、決してできないであろう。そうしたものは、彼らに授けられるのと同じくらいの容易さで奪い去られるであろう。[12]

工業地帯に林立する巨大産業の労働は一見合理的に見えるものの、そうではない。例えば労働者を骨の髄まで搾取し、労働効率は決していいものではない。農業もいまや労働者の仕事というよりもむしろ、農薬によって支配され、薬物づけである。中央集権制はいうまでもなく、地方にいる人々の存在や自治はほとんどなきものとして扱われ、高度に複雑化した官僚制は私たちを統治するための機構と化している。多くの国家を下支えする軍需産業では、その製品の使用用途の恐ろしさに私たちはなすすべもない。資本主義体制はこの世界に汚染を強いることでその富を増大させていくのであり、そこに住まう私たちの世界は一筋縄で理解できるようなものではもはやない。しかしそうであるからこそ新たな挑戦が待ち受けているのであり、私たちはひたすら挑戦しなければならない諸問題に直面する。むろん、ブクチンが述べるように、突如として新たな社会、来るべき社会が到来するわけでもないし実現するわけでもない。とはいえ、この汚染社会のあり方をつぶさに見つめ、その問題の根源を断ち切ろうと見据えることはできるし、ともすればその根源を完全に断ち切ることさえできる。

それではどうするべきなのだろうか。私たち人間は進化する。社会は進化する。自然は進化する。ジェンダーによって不幸にも生まれてしまったヒエラルキーを根こそぎ取り除き、ヒエラルキーを不問に付していくような所作を学ぶべきなのだ。この世界は複雑怪奇ではあるが、諸領域のヒエラルキーを丁寧に解きほぐし、進化を遂げるべく、私たちは生きてきたし、いまもそうである。アナキズムは常にヒエラルキーと闘うなかで、その立場を確固たるものにしてきたといっても過言ではない。自然と人間、そして社会という枠組みの差異を理解しながら、それらの相同性を見据え、未来を夢見てきた。最後にブクチンの言を引こう。

ソーシャル・エコロジーが提出するメッセージは、ヒエラルキーとヒエラルキー的な感受性のない社会を求めるだけではない。進化——社会進化と自然進化——を人間以外の生物と人間のニーズを満たす上で可能な限り合理的にする能力において、進化を十分に自覚的であり可能な限り自由なものとする行為者として人類を自然世界のなかに位置づける倫理をも求めるのである。私は「自然の工学的操作」を是認するような観点を提示しているのではない。私がこれまでの著作で繰り返し強調してきたように、自然世界はあまりにも複雑なので、人間の発明の才や科学、技術によっては「コントロールする」ことはできないのである。私自身のアナキスト的な気質は、私の思考のなかに、人間の行動に関するものであれ、自然の発展に関するものであれ、自発性に愛着を育んできた。想像力は合理性と並んで大きな位置を占めている。直感的なもの、美的なもの、不思議なものに対する驚異の感覚は、人間の精神のなかに知的なものと同じくらい大きな位置を占めるのである。社会進化と同様に自然進化についても、その自発性と豊かさを否定することはできないのである。[13]

おわりに

ブクチンからすれば、人間を生物に還元してしまうことで生命中心主義に陥いるディープエコロジーの議論は唾棄すべきものだ。人間よりも自然を上位に置くことで、環境が保全されようとも、公害問題での人権の蹂躙が無視されかねない。人間は自然のガンであるかのような観点が際立ちかねない。つまり、自然保護を唱える一方で公害問題に注意を払うことはない。また人口問題に警鐘を鳴らしながらも、政治・経済的不平等や権力構造を批判・検討することはほとんどない。仮に批判・検討したとしても議会政治のレベルで訴え、せいぜい緑の党が議席を若干取ったかどうかだけが問題になるだけだ。

そうではなくて、ブクチンは、人間関係、とりわけ社会での人間の関係こそが環境破壊をもたらすのだと立論する。私たち一人ひとりがいくら無農薬や有機栽培で作物を育てようとも、巨大資本である製薬会社による農薬はばらまかれ、農作物や土壌は薬物まみれになり、河川に流れ、海もまた薬物づけになる。問題は資本主義だし、そこに潜むヒエラルキーが問題なのだ。この意味で、リベラル環境主義的な改良も根本的な解決にはならないし、ディープエコロジーのような脱人間中心主義を唱える立論にも乗らない。結局はエコ・ファシズムへと行き着くのが関の山なのだ。社会的な不正をただすなかで、ヒエラルキーを破壊し、資本主義を破壊し、環境を保持していくことがブクチンの中心的な課題である。いま思い起こすべきなのは、国家は悪であり、資本主義は悪であり、環境破壊は悪であるということであり、それらは密接につながっているということだ。一方で、それらを障壁だと考えるアナキストはひたすら自由を求める。だから進化する。自由を基盤に置いた世界に、ヒエラルキーも、国家も、資本主義も、必要などない。

注

（1）例えば、ブクチンは次のように述べている。「私たちに提示されているようにみえる狭い選択肢、特に、冷酷な人間嫌いの「エコロジズム」とむかむかするリベラル環境主義は、私たちが別の道を探索すべきことを求めている。リベラルな環境主義とその失敗の記録に対する唯一の代替案ははたして、素朴な自然が残されているほかの領域も重要かもしれないのに「原生」の自然と野生動物だけを神秘化する「ディープ・エコロジー」なのだろうか？　私たちは、ロビー活動、「妥協」、「取り引き」か、それとも、人間をたんなる動物種に、人間の精神を自然世界に対する疫病に還元してしまいがちな「生命中心的」なアンチ・ヒューマニストの心性かという、二者択一を強いられているのだろうか？　暴走するテクノロジーに対する唯一の代替案は、自然世界に対するはたらきかけの主要な手段が石器であった狩猟採集生活に逆行することなのだろうか？　そして現代の科学技術の論理に対する唯一の代替案は、非合理性、本能、宗教性の礼賛なのだろうか？」（マレイ・ブクチン『エコロジーと社会』藤堂麻理子／戸田清／萩原なつ子訳、白水社、一九九六年、一八―一九ページ）

（2）同書四八ページ

（3）Bertrand Saint-Sernin, "Y a-t-il place, aujourd'hui, pour une philosophie de la nature?," *Bulletin de la societe francaise de Philosophie*, 93, 1999. ほかにもサン＝セルナンは単著 *Whitehead: Un univers en essai*, Vrin, 2000 と、共著 Daniel Andler, Anne Fagot-Largeault et Bertrand Saint-Sernin, *Philosophie des sciences 1*, Gallimard, 2002 で、それぞれホワイトヘッドを自然哲学として論じている。刮目すべき議論が展開されてはいるものの、その一方でブクチンが批判すべきディープエコロジー

的視点に連なる仕方でのホワイトヘッド読解がなされていることは否めない。

（4）Saint-Sernin, *Whitehead: Un univers en essai*, p. 179.

（5）前掲『エコロジーと社会』五五ページ

（6）同書四〇ページ

（7）同書五四ページ

（8）同書七一ページ以下を参照。

（9）ブクチンの本のなかで参照されているのは、Janet Biehl, "What is Social Ecofeminism?" in *Green Perspective*, No. 11, 1988 である。ジャネット・ビールのエコフェミニズム的な視点が書かれているものとして、Janet Biehl, *Rethinking Ecofeminist Politics*, South End Press; First Printing edition, 1999 を推挙しておく。また、こうした議論がロジャヴァ革命に大きな影響を与えている。この点に関しては、森元斎『死なないための暴力論』（〔インターナショナル新書〕、集英社インターナショナル、二〇二四年）を参照されたい。

（10）アルフレッド・ノース・ホワイトヘッド『観念の冒険』山本誠作／菱木政晴訳（〔ホワイトヘッド著作集〕第十二巻）、松籟社、一九八二年、七六―七七ページ

（11）同書九二ページ

（12）前掲『エコロジーと社会』二六二ページ

（13）同書二七三ページ

23 抵抗とは生である

抵抗は無駄なのか。私たちの眼前には常に障壁が立ち塞がる。沈鬱な気持ちになるとともに、増加していくのは焦燥感や世界の自殺者ばかりである。軍事力で闘争しようとも、敵は国家である。核ミサイルをもっているところもあるし、そもそも軍隊は殺人のための訓練機構である。私たちは、そんな訓練なんか受けていないので、勝てるわけがない。権威なるものを利用しようとも、国家にはよりさらなる権力がある。八方塞がりである。ともすれば、現状しか道はないと思われている節がある。

かつてTINA（There is no alternative）と呼ばれる命題があったが、これはいまもそうだろう。この言葉は、マーガレット・サッチャーが述べたとされ、これは資本主義やリベラリズムに代わるオルタナティブが存在しないということを意味する。これはネオリベラリズムと呼ばれる現在にあって、より一層密接に世界の空気に浸透しているように思われる。日本語圏ではなぜかあまり語られないが、ネオリベラリズムは経済学原理でもなければ、市場原理主義でもないというのは常識である。そうではなくて、政治的プロジェクトであり、何よりもイデオロギーなのだ。経済は政治の道具であり、私たちを奴隷状態に落とし込ませるための方法なのである。このネオリベラリズムは資本主義を活性化し、へたなりにも駆動させていくことで、「この世界には資本主義以外の道はない」と思い知らせていく。「労働組合を通じて会社にたてついたら、クビになるらしいよ」というクソみたいな文言が飛び交い、非正規でもいいから、なんとかしがみついて生きていかざるをえない、地獄のような無限ループの世界しか本当に存在しないのだろうか。

本当に、抵抗は無駄で、この世界には資本主義しか生きるすべはないのだろうか。私たちはここで強く「想像力」に訴えることで、それとは異なる視線をみてみよう。そして「異なる視線」などでは決してなく、むしろ私たちの「基盤の視線」が実は目の前に広がっていることも確認してみよう。

脱構成

鶴見俊輔という哲学者がこんなことをいっていた。

自分を無力な状態にして、権力に対して抗議するのは、無駄なようにも思え、矛盾を含んでいるようにも思える。たしかにそうだ。他にもっと有効な抗議の仕方をさがさなくてはならない。

それにしても、他の有効な方法が、地位を利用することであったり、団体の力を利用することであったり、有名人を利用することであったりすると、批判する相手の国家権力はもっと金があり、大きな組織があり、もっと地位と名声をもっている人をかかえているので、こちら側の有効性をうわまわる有効性をいつも、むこうがもっており、抗議することは無駄というふうにも考えられる。

そうすると、やはり、自分を一個の粗大ゴミとして道路の上におくという抗議の形は、根本の抗議の形として、大切なものに見えてくる。そういう抗議を、はだかの自分としてなし得るという自覚が、権力への抗議のもとにあるほうがいい。それがあって、その他に（いくぶんでも）有効な他の抗議の方法をさがすというようでありたい。[1]

これは座り込みの文脈で語っている言葉だ。座り込みの際に、何か意味がある立派な抵抗運動をしている気になってやるべきではないと鶴見は述べている。そうではなくて、自分は粗大ゴミにでもなったつもりで、あるいは非国民にでもなったつもりで、しゃがむ。国家に対して国家のようなあり方で対峙するのではない。国家に対して、それとは圧倒的に異なる私たちの姿に生成することで、つまり国家からはゴミのような存在と思われているのが当然なので、そうした私たちの姿そのものになることで、まずは、気が楽になる。どうせ勝てっこない。だけれども、勝ちにいく。強力な国家に対峙する弱小国家では勝てないが、強力な国家でもゴミ問題は解決しなければならない優先事項である。だから、国家もどうにかして対処しなければならない。ここで思い起こすべきは、国家は、私たちがこうした態度で抵抗に臨むことを何よりも恐れているということだ。国家は何を恐れていないのかといえば、弾けば飛ぶほどの些末な弱小国家であり、そして何よりも、私たちが抵抗しないことそのものである。怖くもなんともないだろう。その一方で、私たちが抵抗しなければ国家は恐れないし、抵抗しているものが意思疎通できない、ただの目の前の粗大ゴミであれば、なお怖い。そりゃそうだ。私たちだって、自宅の玄関前に、物言わぬうんこが毎日のように積み上げられていたら、正直、怖いだろう。

こういうふうに、相手に対して同じ土俵で闘わないことを、脱構成的な反乱という。脱構成は、destituéという言葉をカッコよく（?）翻訳した言葉である。この語は、罷免とか解任という意味だったり、語源的には文字どおり、位置をずらすという意味だったりする。国家に対して国家と同じような姿で闘っても、そこには力の大小があるかぎり勝ち目はない。そうではなくて、位置をずらして、つまり土俵をずらして闘うことで多くの運動は勝ってきた。

わかりやすく小泉義之という哲学者がこういっている。

フランスは社会保障制度が充実しているとよく言われますが、社会政策・社会事業を充実させたのは、若者の暴動です。パリ市郊外の若者暴動が社会問題として語られ、危険な階級に対する社会防衛の必要性が認められているからこそ、暴動の根源的対策としての社会政策が、政治家やインテリに受け入れられているのです。無論、暴動を起こす側は、そんなことを要求しているわけではないのですが、支配層をして、社会の安定のために社会政策を充実させないといけないと考えさせているのです。それは支配層が支払う講和のための賠償金・和解金のようなものです。この内戦的な構造をよく見ないといけません。

日本で貧困層に金が回ってこない理由は、暴動がないからです。そこで、最近の日本の陰気な犯罪は、ほとんど非正規雇用労働者の関連なのですから、例えば、老人ホームで介護福祉士が高齢者を突き落とすような事件についても、労働問題として語ってやればいいのです。持たざる無産者が、有産者の高齢者に復讐していると語りなおすだけで、支配者層は恐れを抱くはずです。そのように内戦化しないと、金は引き出せません。

日本では、犯罪という形で単発的に孤立して暴動が起こっている。ところが、日本のインテリには、そのあたりの感性とかセンスが全く消え去っている。そこが怖い。かつては、「あらゆる犯罪は革命的である」という感覚がありました。一度はそう考えてみるべきである、という感覚です。その程度の「常識」すら失われていることが、日本の情勢を悪くしています。フランスなど欧州では、「不穏で危険な過激派がいる」と思わせることで、引き出すべき金を引き出しているのです。(2)

田中正造のような国会議員に直訴してもいいかもしれない。弁護士と相談して訴訟してみてもいいかもしれない。NPO法人と結託して地域行政を動かしてみてもいいかもしれない。あるいは警察権力と仲良くしながら官邸前で数十万人集め、平和で友好的なデモをしてみてもいいかもしれない。しかし、この手の抵抗は、多くは無駄である（すべてが無駄だとはいわない）。多くは正攻法では勝てない。国家に対して、国家の枠組みで対峙しても勝てることはない。なぜなら国家は、この手の抵抗には全くビビらないからだ。むしろ国家に対して粗大ゴミのように振る舞うこと。それが蜂起であるかもしれないし、座り込みであるかもしれないし、オキュパイであるかもしれない。あるいは三里塚のように、はたまたノートル・ダム・デ・ランド（Notre-Dame-des Landes）のように、空港建設に反対して、その土地で農作業をしつづけることかもしれない。

ジョージ・フロイド以降の民衆運動はどうだったか。これは蜂起である。オキュパイでもあった。法的に対峙したのではない。自治区を創設し、警察を解体させたではないか。ノートル・ダム・デ・ランドの LA ZAD はどうだったか。数十年かけて空港建設予定地をオキュパイし、そこで畑を耕し、ついに空港建設を不可能にさせたのである。あるいは、私たちの石木ダムや辺野古基地ではどうだろうか。絶え間ない闘争のなか、座り込みを続けている。そこには国家に抗する国家があるのではなく、国家に抗する社会があり、国家に抗する人民がいる、組織からすれば粗大ゴミだが、私たちは、当然のように「国家」ではない。脱構成的な闘争、つまり異なる視線どころか、基盤的な視線でものを見ているがゆえに、抵抗せざるをえないのである。

何をもって敗北となし、何をもって勝利となすか

もう少し細かい事例をみてみよう。ＩＭＦ（国際通貨基金）を事実上機能不全に陥らせた運動がある。グローバル・ジャスティス・ムーブメントである。一九九〇年代後半から二〇〇〇年代前半にかけて世界的に興隆した反グローバリズム運動である。とりわけ、ネオリベの経済的なあり方に

抵抗するために、ＩＭＦやＷＴＯ（世界貿易機関）などの経済的決定を粉砕するべく、世界各地で会議が開かれる際に、あるいは国家とＩＭＦとのやりとりがなされる際に、各地で抵抗運動が起こった。ネット上で蘊蓄を垂れてＳＮＳ上でデモをするという運動とはかけ離れている運動だ（なぜ日本ではこうした運動ばかりが目立ち、そして敗北ばかりしているのか？）。直接行動と参加型民主主義の原則にこだわる運動だ。一九五〇年代の公民権運動もかつてはそうだったし、七〇年代の反核運動もそうだった。そして九〇年代にこうした運動形態が再び前景化した。よく知られているのはアナキスト集団のブラック・ブロックらによる活躍がある。こうした戦略的な活躍だけでなく、運動そのものがどのように敗北し、どのように勝利を得たのかを考えてみよう。デヴィッド・グレーバーの分析がわかりやすい。

『反転した革命』[3]のなかでグレーバーは、運動の目標を三つに分ける。①短期的目標、②中期的目標、③長期的目標の三つだ。例えばＩＭＦ粉砕を目標とした運動の観点からすれば、三つの目標は、①その年のＩＭＦの年次総会を粉砕すること、②ＩＭＦを機能不全に陥らせること、ＩＭＦを非合法化させること、ＩＭＦ（ネオリベ）主導ではなく民衆（左派）主導の経済政策を実行させること、③機関としてのＩＭＦを粉砕し、ネオリベを粉砕し、資本主義を粉砕し、国家を粉砕すること、の三つでパラフレーズすることができる。こうした構想力＝想像力をもとに分析するのに長けているのがグレーバーである。

反Ｇ８運動にせよ、反ＷＴＯにせよ、反核にせよ（反核に関しては、グレーバーが出している例だ）、代替可能だろう。いずれにせよ、毎年開かれるＩＭＦの年次総会などに攻撃を仕掛け、運動サイドは大々的に蜂起をおこなう。各国財相が集まるその会議場を占拠するか、あるいは各国財相がその会議場に到着しないように道路をデモ隊で封鎖するか、あるいはメディア戦略としてグローバル系企業の看板をひっぺがすか、あるいはそうした企業の店舗の窓ガラスを割ってそれをメディアに放映してもらうかなど、様々な戦略が立ち上がる。そのようにして、喫緊の課題である①を実現するべく、運動が実行される。しかし多くの場合、この①は一九九九年のシアトルでのWTO会議に対する抵抗運動以降、成功の回数は少ない。敗北を喫することが往々にしてある。しかし、である。②については、事実上実現がなされた。どういうことか。

ＩＭＦはネオリベ的な金融政策を、例えば南米諸国に押し付けてきた。債務を南米諸国に押し付けてきたなかで、「構造調整プログラム」なる負債を負わせるかわりに、ＩＭＦの言うことを聞かせるという政策を実行した。健康・医療分野や、教育分野、そして食品分野での大幅なコスト削減を提案、それに加え、海外の資本家が地元の資源を特売価格で購入できるようにする民営化政策を強要したのである。緊縮財政というやつである。南米諸国はどうなったかといえば、当然のように負債を返済することは困難になり、健康が蝕まれ、教育水準は低下し、必要最低限の食料品を調達することが不可能になった。それに加え、地元産業は壊滅状態となり、軒並み外資系企業が入り込み、下働きどころか、搾取の対象としてだけ地元民が扱われるようになった。また民営化によって、インフラを担うサービスが当然のように悪化した。

こうした状況下にあって、南米諸国でグローバル・ジャスティス・ムーブメントはものすごい広がりを見せた。運動の興隆はもちろんだが、運動に参加していない民衆でさえ、ＩＭＦがいかに悪の権化であるかを日常生活から知るようになった（これも運動の成果である）。世界中で南米諸国の蜂起の様子が放映され、その原因であるＩＭＦがいかに問題を生み出した親玉であるかが世界に知られることになった。こうなるとどうなるか。単純だ。ＩＭＦの信用が南米諸国だけでなく、世界中で全くなくなったのである。そう、全く、である。ＩＭＦって世界的な金融機関としてゴイゴイスーですよね、なんていまだに言っていたら、とても恥ずべきことである。何度もいうが、全く信用ならないのである。ＩＭＦが遂行するネオリベ政策では、失敗しか生じないことが世界中で明白になったのだ。そこでＩＭＦは次の策に出ようとするも、もはや世界での信用がガタ落ちであることは誰の目にも見えている。またＩＭＦが例えばアルゼンチンに何か策をのませようとしても、国家レベルでもＩＭＦの策をのむことはなくなる。なぜなら、国家は民衆の蜂起によってガタガタだからである。もし次なるＩＭＦの金融政策をアルゼンチンが国家もろとものむならば、民衆は黙っちゃいない。蜂起に次ぐ蜂起を繰り返す。この間、二〇〇一年十二月からおよそ一カ月の間に大統領は四人代わった。そして、アルゼンチンはデフォルトを宣言し、債務不履行し、ＩＭＦに従わない旨を発表したのである。

これまでの借金が帳消しになったことでようやく財政再建が可能になる。また、借金帳消しが実現できたということは、事実上、ＩＭＦを機能不全に陥らせたことと等価であり、アルゼンチンの人民にとってＩＭＦは非合法の機関であり、ようやくゼロからのスタートが可能になるのだ。そのうえで、デフォルトが可能になったということは、ともすれば、何度でも借りて、何度でもデフォルトをしてやればいいのである。

つまり勝利したのだ。眼前のＩＭＦ会議は粉砕できなくとも、事実上ＩＭＦを粉砕してしまった。実のところ、多くの運動にはこうした側面が付きまとう。目下目標としていることに終始しすぎて負けてしまった側面ばかりが目につくが、視線が異なれば、勝利を手にしていることがわかる。想像力をはたらかせることで、運動が成果を上げていたことがよくわかる事例である。もちろん虚偽でもなんでもなく、相手を恐れさせ、運動が勝利したのである。

卑近な例でいえば、私はこの間、大学の全学の執行部を相手にけんかした。案件そのものは敗北したが、部分的に勝利したことがある。休みも返上で、ものすごく働いた。相手がいやがるような書類を同僚たちと作成した。様々な会議でも吠えた（朝から夕方までぶっ続けでブチ切れていた日もある）。それでも短期目標は敗北した。ちょうど、この案件が終了したのちに、私は自律神経失調症になった。このように全学がクソでも、学部内に仲間がたくさんできた。それからというもの、なんだか学部内で仕事がしやすくなった。みんな、私がどういう人間かを理解してくれ、私も同僚たちがどういった人たちなのかよくわかるようになった。コミュニケーションが円滑に進むようになった。案件そのものは敗北でも、全学に対して学部案を併記するように要求をのませることはできた。事務方に聞いたところによると、十数年ぶりに全学案と学部案とが対立したそうだが、全学は少なくとも、私たちの学部にビビるようになった。部分的に勝利したのである。このことがわかると、私の自律神経失調症も楽になってきた。想像力が重要なのだ。詳しく聞きたければ、長崎に来てください。いずれにせよ、何をもって敗北となし、何をもって勝利となすか、私たちが勝利を手にすることは、結構、簡単だったりする。抵抗すれば、勝つ。もっといえば、抵抗しなければ、勝利などそもそも存在しない。抵抗しなければ、敗北しかない。

基盤的共産主義

勝利した民衆は、何を基盤に生きているのか。国家レベルの視線を基盤に生きているわけではない。ネオリベ経済策で、私たちは生活していない。G8が決めた緊縮財政はうまくいかないことが事例としてさんざん挙がっているのになお、いまだに緊縮財政を敷衍してくる。彼らは彼らでうまい汁を吸うためだが、私たちは私たちで営むべき生がある。それが基盤的共産主義である。これもグレーバーの議論からみてみよう。とはいえ、この議論はグレーバーだけがしているのではない。ちょっと前史をひもとく。

「各人はその能力に応じて、各人にはその必要に応じて」――この命題が基盤的共産主義のアルファであり、オメガである。この言葉は、十八世紀のエティエンヌ・ガブリエル・モレリという初期社会主義者が創作したということがささやかれている。この語はのちにマルクスによってさらに再定式化された。『ゴータ綱領批判』である。

> 共産主義社会のより高度の段階において、すなわち諸個人が分業に奴隷的に従属することがなくなり、それとともに精神的労働と肉体的労働との対立もなくなったのち、また、労働がたんに生活のための手段であるだけでなく、生活にとってまっさきに必要なこととなったのち、また、諸個人の全面的な発展につれてかれらの生産諸力も成長し、協同組合的な富がそのすべ

ての泉から溢れるばかりに湧きでるようになったのち――そのときはじめて、ブルジョア的権利の狭い地平は完全に踏みこえられ、そして社会はその旗にこう書くことができる。各人はその能力に応じて、各人にはその必要に応じて！(4)

マルクスはここで共産主義を低次と高次の二段階に分けて考えている。高次の共産主義では、「能力に応じて」働き、「必要に応じて」受け取る。ここでは、働くことと受け取ることとのつながりがない。どういうことかというと、一律の賃労働なんかではなくて、自分のできる範囲で働けばよくて、だからといって受け取るものが限定されてはならないということだ。「労働」と「対価」の結び付きが、切断されているのだ。一方、低次の共産主義は、搾取するようなやつらが存在しない、というレベルでのそれだ。つまり労働現場が、私たち労働者だけで成立していて、自主管理されている状態を想定してみよう。役員報酬とか内部留保とかがないような、会社のあり方だ。そうした状況では、確かに共産主義的なあり方が実現しているかもしれないけれども、労働の支出に応じて、必要なものを受け取ってしまうことがあるかもしれない。要は、いままでのしみったれた資本主義体制からは完全には脱却できていない状態である。それが低次の共産主義である。「ブルジョア的権利の狭い」限界を「完全に踏みこえ」ることができたときに、「各人はその能力に応じて、各人にはその必要に応じて」という基盤的共産主義の社会へと移行するのだ。

しかしマルクスに言われなくても、実はみんなやっている。健康保険などはこれを制度化したものである。働ける能力がある人が働いて、病気で働けない人は必要なものを受け取っているではないか。はたまた労働組合なんてまさにこのとおりで、職場のヒエラルキーによる問題を調停するのに役立つ。これだけではない。グレーバーの解釈はより、私たちの身近にあるものとして語ってくれている。

なんらかの共通のプロジェクトのもとに協働しているとき、ほとんどだれもがこの原理にしたがっている。水道を修理しているだれかが「スパナを取ってくれないか」と依頼するとき、その同僚が「そのかわりなにをくれる?」などと応答することはない。たとえその職場がエクソン・モービルやバーガー・キング、ゴールドマン・サックスであったとしても、である。その理由はたんに効率にある(これを「コミュニズムは端的にうまくいかない」という旧来の思考に照らして考えると実に皮肉である)。真剣になにごとかを達成することを考えているなら、最も効率的な方法はあきらかに、能力にしたがって任務を分配し、それを遂行するため必要なものを与え合うことである。ほとんどの資本主義企業がその内側ではコミュニズム的に操業していることこそ、資本主義のスキャンダルのひとつである、ということさえできる。なるほど、たしかに資本主義には民主主義的に運営されるという傾向はみられない。それどころか、多くの場合、軍隊式トップダウンの指揮系統によって組織されている。だがここには、しばしば興味をひく緊張がある。トップダウンの指揮系統は、とくに効率的とはいえないからだ。それは、上にいる者の愚かさと、下にいる者の怒りに充ちた不活性を促進する傾向にあるのだから。即興の必要性が高まれば高まるほど、協働はより民主主義的になっていく傾向がある。発明家たちは常にこのことをよく理解してきたし、起業する資本家もしばしばそのことに気づいている。さらに近年ではコンピューターエンジニアたちがその原理を再発見した。だれもが話題にするフリーウェアのようなものの原理のみならず、企業組織の原理としてさえである。[5]

「その原理」とはいうまでもなく、「各人はその能力に応じて、各人にはその必要に応じて」というものである。ここでグレーバーは資本主義体制下にあっても、逆説的にその基盤には共産主義が作動しているのだという。子どもが駄々をこねてチョコレートを食べたいと言って、仕方がないなぁとチョコを手渡した際に、チョコの料金を子どもから巻き上げるようなことはしないだろう。巻き上げればそれは、資本主義である。しかし巻き上げない私たちのあり方は共産主義である。むろん、ここで述べている共産主義は、当然のように国家体制のことを指すのではなく、私たちの倫理的な態度のことであるのはいうまでもない。こうした倫理的な態度が私たちの生の基盤にある。これが、グレーバーが語る基盤的共産主義（＝コミュニズム）なのである。またグレーバーは私たちが創造的な営為をおこなう際にも共産主義がはたらくと述べている。これはつまり協働によってこそ、私たちの仕事ははかどり、能力がそれぞれ生かされるということがよくわかる事例であるだろう。もちろん、それぞれの能力に応じて、である。

相互扶助

こうした基盤的共産主義は詰まるところ、アナキズムで述べられてきた「相互扶助」と等価の概念であることがわかる。しかし、相互扶助は人間だけでなく、動植物やいかなる時代でも見いだすことができるたまものだ。クロポトキンに代表されるように（近年であれば、『災害ユートピア』のレベッカ・ソルニットや、ことに災害が多い日本列島の民衆は、相互扶助を頻繁に経験しているだろう）、私たちが生を営むことができるのは、相互扶助のおかげである。生物が進化していったのは、弱肉強食だからなのではなく、いわんや生物個体がストリートファイトで勝ち上がってきたからではない。生物個体がいかに強かろうが弱かろうが関係なく、集団で群れて相互扶助をおこない、生命を維持してきたからにほかならない。むろん、集団で群れるというのは、ヤンキー集団が深夜のコンビニエンスストアで群れることではない（ただし近いものは、経験的にはある気もする）。そうではなくて、他者の脅威から身を守る生の知恵を担保することができる集団的な営為のことである（わかりやすい事例としては絵本の『スイミー』〔レオ＝レオニ〕でも想像してください）。これはもちろん、種の保存に限っていっているのではない。

私たちの生を脅かすものがいるかぎり、私たちはこうした基盤に根差して抵抗する。そこで、抵抗しなければ、死あるのみである。冒頭に述べたように自殺という仕方で抵抗するという戦略もあるが、抵抗には持続が必要であり、生は死を迎えるそのときまで、持続である。[6] 精子でさえ「助け合って泳ぐ」[7] らしい。生命あるところにはホメオスタシスがはたらく。それを不具にするものに対しては、抵抗するのが身体である。私たちは本来的に抵抗の産物だ。それをマヒさせるのが資本主義とネオリベである。「貧乏暇なし」「朝鮮人が井戸に毒を入れた」など枚挙にいとまがない数々の言葉は、後者であれば国家が後押しし、前者であれば弱肉強食主義者が後押ししてきた言葉である。

これらはすべて、「偽」である。これはここまで提示してきた想像＝イメージからすでに判断可能だと思われる。冒頭の言葉に戻ろう。

「抵抗は無駄なのか。私たちの眼前には常に障壁が立ち塞がる。沈鬱な気持ちになるとともに、増加していくのは焦燥感や世界の自殺者ばかりである。軍事力で闘争しようとも、敵は国家である。核ミサイルをもっているところもあるし、そもそも軍隊は殺人のための訓練機構である。私たちは、そんな訓練なんか受けていないので、勝てるわけがない。権威なるものを利用しようとも、国家にはよりさらなる権力がある。八方塞がりである。ともすれば、現状しか道はないと思われている節がある」

これに対して、こう答えることができる。抵抗は不可欠である。壁があろうとも壁を破壊してきたのが人間である。沈鬱になろうとも、自殺でさえ抵抗の一つの所作である（でも、生きてくれ！案外、生きながらにして抵抗するって、楽しいよ！）。国家に対峙するのは、国家的な私たちではなく、本来の私たちの姿で、脱構成的に闘争する。そのとき、勝つことがある。勝ってきた事例はたくさんある。短期目標ではなく中期目標で、実は勝ってきたのである。それもことのほか、早く実現する。そしていまある道は、多くは流言飛語によって構成されている。そうではなく、基盤的共産主義と相互扶助のうえにこそ、私たちは生きる。近過去をすぐに忘却しがちな私たちは、流言飛語や虚偽の言説に乗っからないように、しっかりとした基盤のうえで、いま一度近過去でいいからきちんと想像力をはたらかせ、どのように闘争が勝ってきたのかを考えてみよう。そのとき、私たちが抵抗に拠って立つ思想とはここで示してきたようなものなのではないだろうか。抵抗とは生なのだ。

注

(1) 鶴見俊輔「遠い記憶としてではなく」、前掲『鶴見俊輔集9 方法としてのアナキズム』三〇二—三〇三ページ

(2) 廣瀬純/小泉義之対談「いよいよ面白くなってきた——アンダークラスの視座から撃て」前篇、「人民新聞オンライン」二〇一六年一月十八日更新(http://jimmin.com/legacy/htmldoc/157001.htm)[二〇二三年九月二日アクセス]

(3)『反転した革命』として以文社から刊行予定。原著は、David Graeber, *Revolutions in Reverse*, Autonomedia, 2011である。

(4) カール・マルクス『ゴータ綱領批判』望月清司訳(岩波文庫)、岩波書店、一九七五年、三八—三九ページ

(5) 前掲『負債論』一四三—一四四ページ

(6) 暗い見通しがお好みであれば、フランコ・ベラルディ(ビフォ)『NO FUTURE ノー・フューチャー——イタリア・アウトノミア運動史』(廣瀬純/北川眞也訳、洛北出版、二〇一〇年)を参照されたい。これはこれで、大変面白い。

(7)「精子は助け合って卵子を目指す 不妊治療へつながる精子の協調運動を解明」、東北大学「プレスリリース・研究成果」二〇二〇年十一月十七日(https://www.tohoku.ac.jp/japanese/2020/11/press20201117-01-sperm.html)[二〇二三年九月二日アクセス]

24 ロジャヴァ革命について

アナキズムには大きく二つの側面がある。一つは、私たちが不断の努力で相互扶助をおこない、この目の前にある生活を円滑に営むという側面だ。資本主義でさえ、相互扶助がなければ運営されないし、当然のように社会主義だろうが、同じである。相互扶助は私たちが生きるうえで、なくてはならないあり方である。

もう一つの側面はなんだろうか。それは、大きな流れのなかで突発的に小さなさざ波を繰り出し、潮目そのものを変えてしまうことである。これは運動の現場で見いだすことができる。デモのコースのなかで、そのデモの流れを全く別物に変えていこうとする、それも楽しみや面白さを増幅させながらやってのける戦略はアナキズムのなせる業である。例えばサウンドデモだったり、クラウン・アーミーという道化師の格好をしたり、大きな人形（パペット）をデモ隊で動かしたりする。またあるいは警察と衝突した際の退路や進路を網の目のようにくぐり抜けていくブラック・ブロックがある。これは大きな流れのなかの小さな流れでありながらも、その潮目を変えていく戦術である。

トルコ、シリア、イラク、イランの国境をまたがる地域は、クルディスタンと呼ばれている。そのなかのクルド人と呼ばれる人々は「国家を持たない最大の民族」であり、人口は二千万人とも三千万人ともいわれている。クルド人とて、全員が独立や自治を目指しているわけではなく、プロ・エルドアンと呼ばれる体制派クルド人もいる（メディアもある）。

クルド系だけでなく、この地域の自治を目指す人々がいる。その人たちの革命をロジャヴァ革命と呼ぶ。この「ロジャヴァ」という語は、西の土地という意味のクルド語である。このロジャヴァ革命は、クルディスタンの特に北クルディスタン（主にシリア北部）のアフリン州、コバニ州、ジジーレ州で活発に展開されている。そもそもは、国家と民族の独立を掲げて、つまり毛沢東主義やマルクス・レーニン主義に強い影響を受けた武装闘争を展開していたのが、一九七八年に創設されたPKK（クルディスタン労働者党）だった。しかし、PKKの党首であるアブドゥラー・オジャランは次第にサパティスタ民族解放戦線の影響などを受け、組織の脱中心化を目指すようになる。そうしたなかにあって、「アラブの春」である。アラブの春は民主化だけでなく、その反動をも生み出していった。この反動の流れにISがいた。あるいは同じ反体制派のなかにも原理主義路線が現れてくるようになる。こうした背景を踏まえ、PKKや、そこから派生したYPG（人民防衛隊）やYPJ（女性防衛隊）が立ち上がり、二〇一二年にロジャヴァ共和国を宣言した。そこから世界各国のアナキストたちがロジャヴァに戦士として、あるいは後方支援のメンバーとして、あるいは医療や福祉、教育の支援のために向かった。

ロジャヴァ革命の何が新しいかといえば、女性の革命でもあるということだ。Jin, Jiyan, Azadî という言葉がある。「女、命、自由」だ。イラクの女性がヒジャブを着用していなかったというだけで、警察に殺されたという事件は記憶に新しいだろう。その後、多くのイラクの女性たち、とりわけクルド系の女性たちは、この言葉を訴えながら闘争している。

オジャランは、逮捕され監獄に収容されたのち、環境系アナキストのマレイ・ブクチンやアナルコ・フェミニストのジャネット・ビールの著作を読み、アナキストへと転向していった。その影響から、ロジャヴァ革命は国家の独立ではなく自治を希求するようになり、女性を中心に据えた社会を作ろうとしている。もちろん、女性をいままでの家父長制的なモデルにそのまますげ替えるということではない。男性も女性も同じように政治的・軍事的・経済的・教育的に発言し、生きるということだ。

本書でもすでに述べたように、ロジャヴァ革命の構成要素は、はじめに小さいコミューン(commune)が最小単位(十五人ほど)として設定され、次に地域(neigborhood)。これは七から三十ほどのコミューンから構成される。その次に地区(district)が都市や周辺村落、そしてMGRKと呼ばれる西部クルディスタン人民評議会で話し合いがなされる。完全なボトムアップのシステムである。このなかに女性・防衛・経済・政治・市民社会・自由社会・司法・教育・文化・芸術などの分野があり、それぞれで話し合う。どの話し合いの場でも必ず女性が四割以上はいなければその場は不成立になる。

石油産出地域であり、経済的に決して貧しいわけではない。しかし自由と平等を目指すロジャヴァ革命では、金持ちになることが目的ではない。教育もロジャヴァ大学がカーミシュロにあり、ジネオロジー（女性学）やブクチンの理論などを中心に据えて研究されている。

ロジャヴァ革命は生活に根ざしているという意味で、不断の努力によって革命が遂行されている。いまも形成途上である。大きな流れとしては武装闘争や自治の確立という目標がある。これらが混じり合いながら、生活のさざ波にあくまで依拠したうえで、革命が生じている。決して完全な革命が起こっているというわけではない。すべてが国家ベースで動く世界の動向のなかで、国家ではなく地域の自治ベースで動くロジャヴァの動向はしばしば対立する。しかしながら、生活を死守するために戦う。人間らしさの探究に余念がないし、人間が依拠する環境とともにある生に対する探究に余念がない。おそらく世界でも類例を見ない実験的な実践がロジャヴァでおこなわれている。私たちはロジャヴァを無視するのか、あるいは追従するのか。どうしようもないこの戦争と貧困と差別ばかりの世界で選択が迫られている。

私たちは「ただ生きる」ためにどうすべきか。ロジャヴァ革命から問われつづけている。

あとがき

本書は、ここ十年ほどで書いてきたことをまとめている。硬軟織り交ざった本が好きなのだが、そうした本が出せてとてもうれしい。おもちゃ箱のような本がとても好きだ。

初出から大幅に変更したものもあれば、あまり変更していないものもある。初出から時間がたって、翻訳が出たものなどは書誌情報を加筆した。あとは、若書きで変な文章になっているものは、修正を加えた（とはいえ、四十代になっても変な文章は書いている気がするし、書き続けたほうがいい気もしている）。

なお、初出は以下のとおりである。

0　序に代えて
「「ただ生きる」というアナキズム」「文學界」二〇二二年四月号、文藝春秋

音楽篇
1　東京の西から――フィッシュマンズについて

2
「東京の西から」、三田格／野田努編集『永遠のフィッシュマンズ』（別冊 ele-king）所収、Pヴァイン、二〇二一年

3
ルー・リードとニューヨーク
「ルー・リードとニューヨーク」、河出書房新社編集部編『追悼ルー・リード』（文藝別冊／KAWADE夢ムック）所収、河出書房新社、二〇一四年

4
特異性の論争――プリンス、その経験の雫
「特異性の論争――プリンス、その経験の雫」、「総特集 プリンス 1958-2016」「現代思想」二〇一六年八月臨時増刊号、青土社

5
キング・クリムゾンの残響――一九六九年の精神史
「キング・クリムゾンの残響――一九六九年の精神史」、河出書房新社編集部編『キング・クリムゾン――二十一世紀的異常音楽の宮殿』（文藝別冊／KAWADE夢ムック）所収、河出書房新社、二〇一五年

6
「少しづつ身体は死んでく」――cero にまつわる思い出話
「少しずつ体は死んでいく――東京から遠く離れて」、「特集 cero」「ユリイカ」二〇一七年八月号、青土社

土と音楽
「土と音楽」「情況」二〇二三年夏号、情況出版

映画篇

7 after the requiem――ジャン＝リュック・ゴダールの脱構成
「after the requiem――ジャン＝リュック・ゴダールの脱構成」、「総特集 ジャン＝リュック・ゴダール」「ユリイカ」二〇二三年一月臨時増刊号、青土社

8 王をたたえない――『バーフバリ』について
「王を称えない」、「特集『バーフバリ』の世界」「ユリイカ」二〇一八年六月号、青土社

9 映画のなかのアナキズム――『金子文子と朴烈』（監督：イ・ジュンイク、二〇一七年）論
「国家も社会も資本主義も、未来永劫分解し尽くすしかない――『金子文子と朴烈』（イ・ジュンイク）論」、「特集 韓国映画の最前線」「ユリイカ」二〇二〇年五月号、青土社

10 俺たちは共産主義者だ――『ギミー・デンジャー』
「俺たちは共産主義者だ――『ギミー・デンジャー』」、「特集 ジム・ジャームッシュ」「ユリイカ」二〇一七年九月号、青土社

11 「力」のための覚醒剤――スパイク・リーのために
「「力」のための覚醒剤――スパイク・リーのために」、「特集 スパイク・リー」「ユリイカ」二〇一九年五月号、青土社

12 チョッケツ、アジア――空族『バンコクナイツ』
「『バンコクナイツ』――チョッケツ、アジア 空族」、「総特集 現代を生きるための映像ガイド51」「現代思想」二〇一八年三月臨時増刊号、青土社

13　狼の夢／夢の狼――『狼を探して』（監督：キム・ミレ、二〇二〇年）
「狼の夢／夢の狼」、映画『狼をさがして』パンフレット、太秦、二〇二一年

文学篇

14　森崎民俗学序説――森崎和江における「水のゾミア」の思想
「森崎民俗学序説――森崎和江における「水のゾミア」の思想」、「総特集　森崎和江」「現代思想」二〇二二年十一月臨時増刊号、青土社

15　瀬戸内寂聴のアナキズム
「瀬戸内寂聴のアナキズム」、「総特集　瀬戸内寂聴」「ユリイカ」二〇二二年三月臨時増刊号、青土社

16　悶え加勢すること――石牟礼道子について
「悶え加勢すること」、『石牟礼道子――魂の言葉、いのちの海』（KAWADE道の手帖）所収、河出書房新社、二〇一三年

17　鉱物的な眼――谷川雁
「谷川雁『谷川雁セレクションⅠ・Ⅱ』／鉱物的な眼」、「総特集　コロナ時代を生きるための60冊」「現代思想」二〇二〇年九月臨時増刊号、青土社

18　地を這う精神――『はだしのゲン』
「地を這う精神」、河出書房新社編集部編『『はだしのゲン』を読む』所収、河出書房新社、二

〇一四年

19 月と靄――稲垣足穂におけるリーマンと相対性理論、タルホ・コスモロジー

「月と靄――稲垣足穂におけるリーマンと相対性理論、タルホ・コスモロジー」、「総特集 リーマン」「現代思想」二〇一六年三月臨時増刊号、青土社

アナキズム思想篇

20 石川三四郎における地球の思考――ヨーロッパ滞在から土民生活へ

「石川三四郎における地球の思考――ヨーロッパ滞在から土民生活へ」、田中ひかる編『国境を越える日本アナーキズム――19世紀末から20世紀半ばまで』所収、水声社、二〇二四年

21 ダンスができない革命なんていらない――ルクリュからグレーバーまで

「ダンスができない革命なんていらない――ルクリュからグレーバーまで」、「特集 ロシア革命100年」「現代思想」二〇一七年十月号、青土社

22 アナキズムの自然と自由――ブクチンとホワイトヘッド

「アナキズムの自然と自由――ブクチンとホワイトヘッド」、HAPAX編「HAPAX」第九号、夜光社、二〇一八年

23 抵抗とは生である

「抵抗とは生である」「群像」二〇二一年二月号、講談社

24 ロジャヴァ革命について

「アナキズム再考／女性活躍するロジャバ革命」「毎日新聞」二〇二一年一月三十日付

また、青弓社の矢野恵二さんに声をかけていただいたことからスタートし、編集部のみなさんにお世話になった。私にとって青弓社といえばクロード・レヴィ＝ストロースの『親族の基本構造』（福井和美訳、二〇〇〇年）とエドワード・P・トムスン『イングランド労働者階級の形成』（市橋秀夫／芳賀健一訳、二〇〇三年）という金字塔のような書籍を出している出版社である。これらと比べたらあまりにも変な文章でおもちゃ箱のような書籍であり、恥ずかしすぎる思いがあるが、とにかく、うれしい。本当にありがとうございます。

二〇二四年四月

森 元斎

［著者略歴］
森 元斎（もり もとなお）
1983年、東京都生まれ
長崎大学教員
専攻は哲学、思想史
著書に『死なないための暴力論』（集英社インターナショナル）、『もう革命しかないもんね』（晶文社）、『国道3号線——抵抗の民衆史』（共和国）、『アナキズム入門』（筑摩書房）、『具体性の哲学——ホワイトヘッドの知恵・生命・社会への思考』（以文社）、編著に『思想としてのアナキズム』（以文社）、共著に『国境を越える日本アナーキズム——19世紀末から20世紀半ばまで』（水声社）など

ただ生（い）きるアナキズム

発行——— 2024年5月28日　第1刷
定価——— 2600円＋税
著者——— 森 元斎
発行者—— 矢野未知生
発行所—— 株式会社青弓社
〒162-0801 東京都新宿区山吹町337
電話 03-3268-0381（代）
http://www.seikyusha.co.jp
印刷所—— 三松堂
製本所—— 三松堂
©Motonao Mori, 2024
ISBN978-4-7872-1059-3　C0010

河原梓水

SMの思想史

戦後日本における支配と暴力をめぐる夢と欲望

「奇譚クラブ」を含めた戦後風俗雑誌を通覧して吾妻新や沼正三などの作家に着目し、サディスト・マゾヒストを自認した人々が支配や暴力とどう対峙したのかを明らかにする。　定価3000円＋税

飯田祐子／中谷いずみ／笹尾佳代／池田啓悟 ほか

プロレタリア文学とジェンダー

階級・ナラティブ・インターセクショナリティ

小林多喜二や徳永直、葉山嘉樹、吉屋信子——大正から昭和初期の日本のプロレタリア文学とそれをめぐる実践を、ジェンダー批評やインターセクショナリティの観点から読み解く。　定価4000円＋税

ポリタスTV 編　山口智美／斉藤正美

宗教右派とフェミニズム

1990年代—2000年代初頭のバックラッシュから、安倍政権以後の家族や女性、LGBTQ＋をめぐる政策と右派・宗教との関係までを、具体的な事例から解説し問題点を検証する。　定価1800円＋税

河合優子

日本の人種主義

トランスナショナルな視点からの入門書

欧米と日本の人種主義の歴史的・社会的な背景、基本的な知識を押さえたうえで、差別、偏見とステレオタイプなどの視点から、私たちの日常に潜む人種主義を浮き彫りにする。　定価1800円＋税